OCUPACIÓN TERAPÉUTICA EN PACIENTES CRÓNICOS

Patricia Mora Ródenas

© **LIBROS CERTEZA y Patricia Mora Ródenas**
Edita: **LIBROS CERTEZA**
Parque, 41
50007 **ZARAGOZA** (España)
Tel. (34) **976 272 907**
Fax (34) **976 251 880**
E-mail: **certeza@certeza.com**
www.certeza.com

ISBN: 978-84-92524-75-4
D. L: Z-692-2015
Imprime: Ulzama Digital

A mis padres, Francisco y Natividad.
A mi hermana Olga.
A Luna.

PRÓLOGO

Hay otras vidas, pero están en ésta leí en una ocasión. Y el tiempo me ha enseñado a apreciar que tal aseveración, rotunda y hasta con un punto de arrogancia, es del todo cierta. La vida nos trae sin avisar las magníficas consecuencias de estar en ella y en pocas ocasiones le somos fieles para agradecérselas. A lo sumo se puede llegar a sentir la nostalgia del tiempo y de lo que acarrea éste. Soy de los que no creen que la nostalgia sea un buen sentimiento, salvo que conlleve una cierta ironía; hasta podría coincidir con otro autor, ya historia, que la nostalgia es un error. Me inclino más por pensar en el futuro, por reinventar cada día, no por mirar continuamente atrás. Posiblemente por eso pienso que a la vida se la ha de amar, incluso mimar, y poder llegar a la vejez de una manera tranquila, sosegada, sin sobresaltos ni espantos. Si a la vida se le trata bien, responde casi siempre. Todo ser humano es historia. No es biología solamente, **es biografía, sobre todo**. Y en ella, nosotros, intervenimos mucho. Incluso diría que todo.

Nosotros, los que nos dedicamos al negociado de la vida, sabemos lo importante que es cuando se deja de tener en su plenitud, cuando aparece el sufrimiento. Estoy convencido que el sufrimiento ayuda a crecer, como el alimento, pero tiene que ser bien digestionado. El sufrimiento, cuando no se digestiona adecuadamente, se convierte en resentimiento. Es una de las consecuencias de ser animal racional, de tener conciencia de sí mismo. Un náufrago ahogándose en el mar es más grande que el mar, porque el náufrago sabe que se muere, y el mar no sabe que lo mata.

El libro que hoy tiene entre las manos, querido lector, es un ejercicio de vida para quienes en algún instante han perdido la intensidad y calidad de la misma. El intérprete principal del mismo es el enfermo en una situación mantenida, no breve, en un momento de su vida en la que su mirada comienza a virarse hacia atrás. El coprotagonista es un profesional, el terapeuta ocupacional, que sin pausa se está haciendo su lugar en un espacio árido y con éxitos que no salen en los *hit parades* sanitarios. Sin embargo, física y psíquicamente son los mejores aliados para un paciente con una proyección de mejora no pronta que ha perdido lo que el día anterior ufanamente dilapidaba. El esfuerzo de estos profesionales es encomiable y este libro escrito por uno de ellos, Patricia Mora, lo atestigua. Es un libro que habla, repito, de calidad vital, la que se tuvo y la que se puede volver a recuperar.

Dr. Guillermo Pascual y Barlés
Director Escuela Aragonesa de Cuidados de Salud.
Zaragoza. Enero 2008.

TERAPIA OCUPACIONAL (TO)

Se entiende la TO como el uso terapéutico de las actividades de autocuidado, trabajo y juego para incrementar la independencia funcional, aumentar el desarrollo y prevenir la incapacidad; puede incluir adaptaciones de la actividad o del ambiente, para alcanzar la máxima independencia y mejorar la calidad de vida (AOTA 1986).

LAS CARACTERÍSTICAS DE LA ACTIVIDAD EN TO

Todas las actividades utilizadas en TO, sea cual sea su naturaleza, se eligen por razones específicas en cada caso. A la hora de seleccionar cualquiera de estas actividades el terapeuta ocupacional debe tener presente una serie de características comunes a todas ellas:

- Debe tener un propósito. Debe dirigirse a un objetivo específico, por ejemplo, ayudar a la persona a ganar confianza en si misma cuando realiza un objeto de barro y es felicitado por los compañeros.
- Debe ser significativa y relevante para el sujeto, en mayor o menor medida según el estadio de tratamiento en que se encuentre, pero en cualquier caso este significado y relevancia debe ser apreciado por el sujeto.
- La actividad irá dirigida no sólo a incrementar o mantener el nivel funcional del usuario, sino que también debe dirigirse a prevenir posibles o futuras incapacidades y a mejorar la calidad de vida de la persona.
- El sujeto no sólo ha de estar involucrado en la ejecución de la actividad sino que también debe colaborar en el proceso

de determinar cuál es la actividad importante. La actividad ha de requerir la <u>cooperación, participación y consentimiento del paciente</u>.

- La actividad debe reflejar en mayor o menor medida las funciones y las tareas que el sujeto mantiene en su vida cotidiana, y debe <u>ajustarse a las necesidades</u> <u>sentidas por él y su entorno</u>. Ha de estar también en consonancia con su edad. Hay que adaptarse a las necesidades del paciente y del entorno.

Una de las claves para el tratamiento en TO es la identificación cuidadosa de las destrezas requeridas para la actividad prescrita así como una total comprensión de la actividad.

Un terapeuta ocupacional se centra sobre una actividad desde dos direcciones específicas: cómo se ejecuta normalmente y cómo es ejecutada por el paciente. A veces, la ejecución normal y la del paciente son similares. En TO, muy a menudo, la actividad requiere ser evaluada y reestructurada para colocarla en el nivel de capacidad del usuario.

HISTORIA Y EVOLUCIÓN DE LA TO

Comienzos de la profesión

Los inicios de la profesión hay que buscarlos a finales del siglo XIX y principios del XX, cuando a raíz de la Primera Guerra Mundial y debido a la necesidad de atender a los numerosos heridos ocasionados por ésta, se comienza a utilizar la ocupación como terapia, sobre todo en el ámbito de la salud mental.

En Estados Unidos el psiquiatra Adolph Meyer proporcionó a la TO una base filosófica sobre la cual crecer ya que creía que "el uso apropiado del tiempo en actividades útiles y gratificantes era una cuestión fundamental en el tratamiento de pacientes neuropsiquiátricos", así el tratamiento se convirtió en una mezcla de placer y trabajo que incluía la actividad productiva y recreación. También se daba vital importancia a las relaciones interpersonales con los instructores.

Posteriormente, la trabajadora social Eleanor Clarke Slagle, que trabajó junto con el Dr. Meyer, organizó en Chicago la primera escuela profesional para terapeutas ocupacionales, The Henry B. Favill School of Ocupations.

El Dr. William Rush Danton está considerado el padre de la TO. Como psiquiatra ya la utilizaba desde 1895 y publicó en 1915 el primer texto completo de TO.

También en Gran Bretaña se introduce la TO a primeros de siglo en un hospital psiquiátrico moderno, el Gartnavel Royal Mental Hospital, por el Dr. Henderson.

La primera terapeuta ocupacional titulada que trabajó en Gran Bretaña en 1925 fue Margot Fulton, formada en la escuela de Filadelfia. Cinco años después se fundó la primera escuela en este país.

Desarrollo de la profesión en España

En España, aunque no definida la profesión, se utiliza la terapia mediante la recreación y las ocupaciones en los hospitales psiquiátricos de los Hermanos de San Juan de Dios y, posteriormente, de las Hermanas Hospitalarias del Sagrado Corazón de Jesús.

El tratamiento moral, recomendado por Pinel a finales del siglo XVIII, incluía ya la TO: "Entre los diversos medios morales, el primero y el más importante es dar al enfermo una ocupación convincente".

Entre 1881 y 1919, y hasta ahora, se instaura en todos los hospitales psiquiátricos de las órdenes la TO dentro de sus programas.

La Escuela Nacional de Terapia Ocupacional (ENTO) fue creada por decreto del Ministerio de la Gobernación, aprobado por el Consejo de Ministros, aparecido en el BOE nº 246 de Octubre de 1964.

Los estudios habían comenzado de la mano del fundador de la escuela, el Dr. Ruiz y de un grupo de colaboradores, en Noviembre de 1960, como un curso abreviado de nueve meses que, con el tiempo, fue ampliado a tres años.

El 27 de Junio de 1967 apareció en el BOE n° 152 el Reglamento por el que había de regirse la Escuela de Terapia Ocupacional adscrita como filial de la Escuela de Sanidad y regida por una junta rectora.

Desde un principio fue criterio de la ENTO adaptar sus programas a los que rigen en la Federación Mundial de Terapeutas Ocupacionales (WFOT) y mantener contacto con dicha Federación hasta su integración definitiva, que se produjo el 13 de Agosto de 1970, adquiriendo así sus títulos, reconocimiento y validez internacional.

Con la Ley de Reforma Universitaria los estudios de TO aparecen por fin reconocidos como título universitario de grado medio (BOE 20/10/1990) y todas las escuelas que surgen a partir de ese momento lo hacen bajo el control de la Universidad, siendo la primera en crearse en la Universidad de Zaragoza, dentro de la Escuela Universitaria de Ciencias de la Salud, existiendo en la actualidad 16 escuelas universitarias, entre privadas y públicas.

En 1996 se publica en el BOE el decreto que regula la convalidación de los títulos obtenidos en la antigua ENTO y que equipara los títulos obtenidos hasta el momento por los terapeutas de la ENTO con los diplomados en las escuelas de reciente creación.

BIBLIOGRAFÍA

Hopkins HL. *An historical perspective on occupational therapy*. En: Hopkins HL, Smith HD, eds. Willard and Spackman's occupational therapy, 5ª ed. Filadelfia: J.B. Lippincott, 1978.

Jiménez Herrero F. *Historia de la gerocultora y evolución de la enfermería geriátrica y gerontológica.* En: Guillén Llera F, Pérez del Molino Martín J, Eds. Síndromes y cuidados en el paciente geriátrico. Barcelona: Masson-Salvat, 1994.

Macdonald EM. *Terapéutica ocupacional en rehabilitación*, 2ª ed. Barcelona: Salvat, 1979.

Meuer A. *The philosophy of occupation therapy.* Am J Occup Ther 1977; 31 (10): 639-642.

Morrison E. *A history of the profession.* En: Creek J, de. Occupational therapy and mental health: principles, skills and practice. Edimburgo: Churchill-Livingstone, 1990.

Wallis MA. *Profession and professionalism and the emerging profession of occupational therapy (part 1).* Br J Occup Ther 1987; 50 (8): 264-265.

Wallis MA. *Profession and professionalism and the emerging profession of occupational therapy (part 2).* Br J Occup Ther 1987; 50 (9): 300-302.

Durante Molina P. ; Pedro Tarrés P. *Terapia Ocupacional en Geriatría: Principios y Práctica*, 2ª ed. Barcelona: Masson, 2004.

Polonio López B; Durante Molina P; Noya Arnaiz B. *Conceptos fundamentales en Terapia Ocupacional.* 1ª ed. Madrid: Médica Panamericana, 2001.

Libro Blanco de la Terapia Ocupacional en Aragón. 2007.

TERAPIA OCUPACIONAL Y CRONICIDAD

Las *enfermedades crónicas*, se llaman así, porque se van desarrollando poco a poco y de manera silenciosa, es decir, durante las primeras etapas de su desarrollo no presentan síntomas o signos alarmantes, que hagan suponer que se están desarrollando.

Son irreversibles porque van ocasionando el deterioro de uno o varios órganos del cuerpo limitando seriamente sus funciones, pero la mayoría, detectadas a tiempo, son controlables, hasta el grado de permitir a las personas vivir con calidad y durante mucho tiempo.

Entre las características comunes de las enfermedades crónicas están:

- Generalmente necesitan de un tiempo considerable para desarrollarse y manifestarse.
- Destruyen progresivamente los tejidos del o de los órganos que dañan.
- Todas ellas pueden complicarse severamente y desencadenar otro tipo de enfermedades, ya sean también crónicas o infecciosas.
- Requieren un control médico sistemático y permanente, lo que origina muchos gastos y problemas económicos, familiares, laborales y sociales.
- El costo de los tratamientos es alto, debido al consumo permenente de fármacos así como de terapias y consultas médicas frecuentes.

- Algunas de estas enfermedades pueden prevenirse al cambiar los estilos de vida adoptados.

Las enfermedades crónicas ocupan los primeros lugares entre las causas de morbi-mortalidad en todos los grupos de edad.

El impacto que tienen estas enfermedades es muy fuerte y rebasa al enfermo, ya que al padecerlas tienen repercusión en aspectos psicológicos, familiares, sociales y laborales, siendo los aspectos psicológicos de gran impacto en la evolución de la enfermedad.

Son enfermedades incapacitantes, no porque el enfermo tenga que dejar de hacer todas sus actividades sino porque las limita severamente.

El objetivo de la TO son las personas que presentan cualquier disfunción ocupacional o riesgo de padecerla.

Desde su origen, la TO reconoce que la ocupación desempeña un papel central en la vida humana, es una necesidad vital.

La ocupación se encuentra unida al bienestar personal, puesto que ejerce un impacto en la salud biológica y psicosocial de la persona. Además, la ocupación es la manera en que la persona interacciona con el medio que le rodea.

Puesto que la ocupación es parte de la condición humana, las personas no pueden desarrollarse plenamente como seres humanos cuando están privados de la ocupación. La disfunción ocupacional reduce la calidad de vida y es origen de sufrimiento.

Ya en 1962, *Mary Reilly* afirmó que: "el hombre a través del uso de sus manos, con la energía de su mente y de su motivación, puede influir en el estado de su propia salud".

En TO, el paciente debe ser el punto central del proceso terapéutico. Esta práctica requiere un profundo respeto por la dignidad humana; el terapeuta ocupacional ha de ser comprensivo con la visión que tiene el enfermo de sus propias necesidades y valores. La enfermedad y la discapacidad son experiencias únicas para cada persona. El terapeuta ocupacional debe evitar imponer sus propios valores. La práctica centrada en el enfermo se orienta a una toma de responsabilidad por parte de la persona que recibe el tratamiento. El terapeuta ocupacional necesita la participación activa del enfemo en el tratamiento, lo cual determinará el valor y la efectividad de la terapia. Pero ésto, no siempre ocurre así.

Hay enfermos cuya actitud es muy positiva, pero dicha actitud puede responder a una falsa esperanza creada por el propio enfermo respecto de una segura y total recuperación que le permita volver a su vida normal. Entonces, será necesario que el terapeuta ocupacional y en coordinación con el resto de profesionales del equipo explique la realidad de su enfermedad y sus límites viables de recuperación. Ésto, contribuirá a que el enfermo reduzca su nivel de ansiedad y a que comience a aceptar sus propias limitaciones.

En ocasiones, resulta costoso educar y concienciar al paciente de su enfermedad. Por ejemplo, una persona afectada por poliartritis puede no querer aceptar los cubiertos y material adaptado que el terapeuta ocupacional le especifique porque los vea "feos y anormales", o utilizar unas prendas de vestir determinadas porque "no quiere llamar la atención". Que el enfermo acepte sus propias limitaciones es uno de los principales soportes de trabajo con el que contamos los terapeutas ocupacionales. A partir de ahí, podemos conseguir mucho, incluso que lo que antes se presentaba como una limitación deje de serlo. El terapeuta ocupacional debe valorar muy bien a cada paciente para que los recursos empleados se adapten a las necesidades físicas, emocionales, mentales, etc. de la persona. También es muy importante reforzar positivamente cada logro conseguido por el enfermo por pequeño que sea.

La falta de participación y el apoyo de la familia puede repercutir negativamente en el tratamiento del paciente.
Desde TO se considera que tan importante es el trabajo de los profesionales, la aplicación de unas técnicas, etc. como la aportación de la familia. Muchas veces, sin la familia, el trabajo que desarrollamos queda interrumpido o incompleto. En los casos en los que la actitud del paciente es favorable y además existe un apoyo familiar, el tratamiento aporta mejores y mayores resultados.

Los roles del terapeuta ocupacional durante el proceso terapéutico son, *técnico*, aportando una serie de conocimientos; *compañero* que colabora y *amigo* que se preocupa de la persona. Esta visión implica una actitud empática que se desarrolla de forma única a través del hacer con la persona, con las manos y con el corazón.

Para facilitar la curación de una persona y para desarrollar una relación terapéutica efectiva, el profesional debe tener conciencia de sí mismo y de cuáles son sus puntos fuertes y débiles; reconocer nuestra propia conducta y nuestras respuestas emocionales, así como los efectos que éstas producen sobre los demás.

Entre las enfermedades crónicas más conocidas están las enfermedades reumáticas como la osteoartrosis y la artritis reumatoide; los problemas óseos como la osteoporosis; las patologías cerebrovasculares como el ictus o accidente cerebrovascular; las lesiones medulares; las enfermedades neurológicas como la esclerosis lateral amiotrófica y la esclerosis múltiple; la enfermedad de Parkinson; las enfermedades neuropsiquiátricas como el síndrome neurodegenarativo, el autismo, las psicosis; y las patologías pulmonares como la enfermedad pulmonar obstructiva crónica; las cuales se van a detallar en los capítulos posteriores.

BIBLIOGRAFÍA

Durante Molina P; Pedro Tarrés P. *Terapia Ocupacional en Geriatría: Principios y Práctica*. 2ª ed. Barcelona: Masson, 2004.

Polonio López B; Durante Molina P; Noya Arnáiz B. *Conceptos fundamentales de Terapia Ocupacional*. Madrid: Médica Panamericana, 2003.

Durane Molina P; Noya Arnáiz B. *Terapia Ocupacional en salud mental: principios y práctica*. Barcelona: Masson, 1998.

Finlay L. *The practice occupational therapy*. Cheltenham: Stanley Thornes LTD, 1997.

Hagedorn R. *Occupational therapy: perspectives and processes*. Edinburg: Churchill-Livingstone, 1997.

Hopkins H; Smith H. *Willard and Spackman's occupational therapy*. Lippincott, 1993.

Kielhofner G. *Conceptual foundations of occupational therapy.* Philadelphia: FA Davis, 1992.

Maslin ZB. *Management in occupational therapy.* London: Chapman&Hall, 1991.

Reed KL; Sanderson SR. *Concepts on occupational therapy.* Baltimore: Williams&Wilkins, 1983.

Young M; Quinn E. *Theories and principles of occupational therapy.* Edinburg: Churchill-Livingstone, 1992.

Reed KL. *Models of practice in occupational therapy.* 3ª ed. Baltimore: Williams&Wilkins, 1992.

PATOLOGÍAS OSTEOARTICULARES

OSTEOARTROSIS (OA)

DEFINICIÓN

Enfermedad degenerativa de las superficies articulares asociada al envejecimiento. Puede comprometer a cualquier articulación pero aparece con mayor incidencia en las articulaciones de carga (cadera, rodilla y columna), aunque también pueden aparecer en articulaciones pequeñas.
Existen varios factores que predisponen a padecer osteoartrosis: edad, traumatismos, laxitud ligamentosa, artritis reumatoide, alteraciones metabólicas e incluso antecedentes genéticos. La obesidad en sí, no provoca osteoartrosis pero constituye un factor negativo porque supone una sobrecarga articular.

Etiología

- Osteoartrosis primarias o idiopáticas: cuando no aparecen factores que expliquen su aparición. Más frecuente. Aumentan la probabilidad de padecerla la edad avnzada, el sexo femenino, la herencia genética, la obesidad (sobre todo en articulaciones de carga) y el uso articular repetitivo.
- Osteoartrosis secundarias: aparece como consecuencia de una deformidad, lesión o enfermedad previa capaz de desencadenar la degeneración progresiva del cartílago.

CLÍNICA

La afectación de la osteoartrosis, al principio es asintomática. Posteriormente, el paciente presenta una inflamación temporal breve e intensa y comienzan a aparecer síntomas como:

- Dolor. De carácter mecánico. Es más intenso al iniciar el movimiento, disminuyendo a medida que la articulación se moviliza aunque con la progresión de la enfermedad puede hacerse constante y notarse en reposo. El dolor nocturno es raro. También puede aparecer dolor inflamatorio.
- Dificultad de movilización. Puede haber rigidez matutina de escasa duración, o rigidez tras periodos de inactividad, la cual remite rápidamente con el ejercicio.
- Limitación de la movilidad articular.
- Crepitación articular.
- Deformidades articulares. Puede verse agravada con subluxaciones.
- Contracturas musculares. Por la presencia de dolor, el enfermo adquiere actitudes viciosas y negativas para la articulación provocando contracturas.
- Atrofia muscular. Como consecuencia de la inmovilidad, la persona que padece osteoartrosis pierde masa muscular.

DIAGNÓSTICO OCUPACIONAL

Se debe hacer una evaluación global de la persona, tanto de la patología en concreto como de la repercusión de dicha patología en la funcionalidad de la persona. Todo ello, permitirá realizar un tratamiento individualizado, marcar prioridades, y servirá como medio para observar los resultados de tratamiento.

El enfoque de la evaluación dependerá de la distribución de la enfermedad y qué repercusiones tiene en la vida del paciente.

La información se obtendrá a través de pruebas estandarizadas o no, junto con la observación directa y la entrevista tanto del paciente como de los familiares.

Se evaluarán los componentes de ejecución:

- Sensoriomotores: fuerza muscular, recorrido articular, funcionalidad, destreza, sensibilidad y existencia de deformidad.
- Cognitivos: memoria, orientación, atención y comprensión del lenguaje verbal y escrito.
- Psicosociales: aceptación de la enfermedad, motivación, interacción social, intereses y roles.

TRATAMIENTO GENERAL

No existe un tratamiento curativo para la osteoartrosis, pero requiere un abordaje multidisciplinar para paliar los síntomas y tratar de endentecer su progresión, conservando en la medida de lo posible la autonomía y calidad de vida del enfermo.

- Tratamiento farmacológico: analgésicos como paracetamol o antiinflamatorios, según considere su médico.
- Tratamiento conservador: se debería realizar a través de un equipo multidisciplinar (EMD) formado por el médico rehabilitador, terapeuta ocupacional, fisioterapeuta, psicólogo. Tienen como objetivo paliar y evitar los síntomas, prevenir el progreso de deformación y favorecer la independencia.

25

- Tratamiento quirúrgico: en afectaciones severas hay que recurrir a la cirugía para disminuir el dolor o mejorar la funcionalidad articular. Se realizan artrodesis (sustitución de la articulación por prótesis), osteotomía (sección del hueso para mejorar la mecánica) o artroplastia (reconstrucción de la articulación).

TRATAMIENTO OCUPACIONAL

Los objetivos de tratamiento de TO son:

- Mantener el mayor grado de funcionalidad de la persona.
- Incrementar la fuerza de la musculatura periarticular de las zonas afectadas para conservar un apoyo eficaz.
- Aliviar el dolor mediante técnicas que proporcionen reposo articular evitando el esfuerzo y aumentar o mantener la movilidad articular.
- Adiestramiento en las actividades de la vida diaria (AVD) mediante técnicas de protección articular e introducción de ayudas técnicas para facilitar estas actividades y evitar un mayor deterioro por una mala ejecución de las mismas.

Entre las afectaciones por osteoartrosis, las del miembro superior, especialmente las de la mano, están más relacionadas con la práctica de TO. Para realizar el tratamiento desde un punto de vista integral, se debería centrar no sólo en tratar la afectación patológica de la mano propiamente dicha sino también en la repercusión que conlleva en la ejecución de las diferentes actividades de la vida diaria (AVD).

Es importante concienciar al paciente para que realice el tratamiento en casa, ya que la falta de movimiento prolongada empeora los síntomas y provoca la aparición de rigidez después de la actividad e incrementa el dolor y la inflamación. Se deben pautar pocos ejercicios varias veces al día.

En el tratamiento se diferencian los tres grados de prevención:

* Primaria: disminuir los factores de riesgo.
* Secundaria: detección precoz para poder tratar la enfermedad lo antes posible y cuando ya está establecida, controlar sus progresos.
* Terciaria: realizar el tratamiento rehabilitador.

Actividades específicas

Para lesiones localizadas en los miembros inferiores se realizan actividades que corrijan posturas y que fortalezcan la zona para conseguir una deambulación estable. Las actividades empleadas son: torno de madera, telares y máquina de coser (instrumentos todos accionados con pedales); actividades con pelota en sedestación y en bipedestación o actividades de marcha con obstáculos.

Un ejercicio casero, y que se puede realizar fácilmente en los domicilios, consiste en deslizar un rodillo de madera con la planta del pie (un pie y otro alternativamente o los dos pies a la vez).

27

Para lesiones localizadas en los miembros superiores, concretamente en la mano, los ejercicios van encaminados a lograr fuerza, amplitud y destreza manual y a estimular y conservar las habilidades necesarias para la ejecución de las actividades de la vida diaria. Se llevan a cabo actividades tales como, pintura, actividades con canicas de distintos tamaños y pesos, "pasta mágica", ejercicios de pinzado, trenzado de cuerda, tallado de madera y trabajo con cuero.

En TO, se confeccionan férulas que prevengan deformidades o faciliten la actividad protegiendo las articulaciones afectadas.

ACTIVIDADES DE LA VIDA DIARIA (AVD)

Para evitar la pérdida de independencia, se entrenan las actividades de la vida diaria (AVD) para no potenciar el deterioro de la articulación afectada, y reducir el dolor durante su realización.

Algunas recomendaciones para la ejecución correcta de las actividades de la vida diaria (AVD), son:

- Evitar aguantar mucho peso con las manos; si lo tenemos que realizar acercaremos el objeto al cuerpo sujetándolo también con el antebrazo.

- Impedir la pinza término-lateral con resistencia, por ejemplo al sujetar platos, lo realizaremos con las palmas de las manos.
- La ropa es aconsejable que sea fácil de poner y quitar, que sea amplia y preferiblemente con cierres de velero para evitar abotonar y desabotonar.
- Utilizar carros cuando se deban transportar objetos. Si no se pueden utilizar, intentaremos deslizar, tirar o empujar en vez de elevarlos.

Una parte fundamental en el entrenamiento de las actividades de la vida diaria (AVD) es el uso de **ayudas técnicas**. Se definen como todo aquel utensilio diseñado y fabricado para facilitar la independencia de las personas en sus actividades de la vida diaria(AVD). También se incluyen utensilios cotidianos que podamos adaptar a las necesidades del paciente. Algunas de estas ayudas técnicas son:

- VESTIDO: realizar estas actividades en sedestación (borde de la cama o silla), con los pies bien apoyados en el suelo. Es conveniente usar subemedias, subcalcetines, calzadores de mango largo, zapato abotinado (que actúa a modo de corsé), abrochabotones, subecremalleras, etc.

- HIGIENE CORPORAL: ejecutarla, si es posible, en sedestación. Utilizar un alza para el inodoro, tabla o silla de ducha, dosificadores para el jabón, esponja con alargador, cepillo de dientes, peines, maquinillas para un mejor agarre.

- ALIMENTACIÓN Y PREPARACIÓN DE ALIMENTOS: usar utensilios de cocina ligeros. Para abrir grifos y tarros, utilizaremos mangos que permitan hacer el esfuerzo con el brazo y no con los dedos. El tablero para cortar o "tabla sueca": tabla que permite sujetar los alimentos para cortarlos o pelarlos, provista de ventosas para su fijación en la mesa. Se deben adaptar los cubiertos (engrosados, curvados, lastrados, etc.). Utilizar vasos inclinados, platos con tope, etc.

- DEAMBULACIÓN: puede ser necesario la utilización de un bastón o una muleta en el lado sano, un andador, un zapato con buena sujeción o el uso de férulas.

ADAPTACIÓN DEL ENTORNO

La vivienda debe de estar adaptada a las necesidades y requisitos de enfermo:

- COCINA: evitar suelos deslizantes y poner todos los objetos de uso frecuente al alcance. Realizar actividades prolongadas (por ejemplo, preparación de la comida) en sedestación.
- BAÑO: colocar barras de apoyo en lugares estratégicos. Evitar alfombras u otros objetos que interfieran en las actividades. Conviene instalar una ducha en desnivel (en vez de plato) y un inodoro con asiento elevado.
- DORMITORIO: situar la cama alta para facilitar transferencias. Existen camas articuladas para conseguir una posición en decúbito cómoda y ergonómica.
- SALÓN: evitar sofás excesivamente blandos; utilizar un sofá articulado porque ayuda a conseguir una postura cómoda y facilita el sentarse y levantarse.
- PASILLO Y ESCALERAS: distribuir las barandillas y evitar alfombras (o fijarlas bien al suelo). Colocar una banda antideslizante en cada escalón.

ARTRITIS REUMATOIDEA (AR)

DEFINICIÓN

Enfermedad sistémica con alteraciones inmunológicas caracterizada por un proceso inflamatorio de las articulaciones. Generalmente, afecta de forma simétrica a las pequeñas articulaciones (muñeca, dedos, pies) aunque las grandes articulaciones no quedan excluidas. Se encuentran comprometidos otros órganos y tejidos del cuerpo.

Etiología

Su origen se desconoce. Se barajan dos hipótesis: infecciosa (virus) e inmunológica (alteración del sistema inmunitario).

La obesidad no es un factor desencadenante pero sí puede precipitar la aparición de síntomas y agravar el proceso una vez iniciado.

CLÍNICA

La artritis reumatoidea es una enfermedad crónica y degenerativa que cursa con periodos de exacerbación y remisiones. La enfermedad se inicia intraarticularmente y posteriormente hay una infiltración de células inflamatorias en el torrente sanguíneo. El hueso próximo a la articulación se vuelve osteoporótico y aparece desgaste articular.

Así, se puede considerar que hay distintas etapas, que se pueden alternar: la aguda; cuando se produce un brote y aparece dolor e inflamación; la subaguda, cuando estos síntomas remiten, y la crónica; cuando existen deformidades consolidadas.

Los síntomas son:

- Dolor espontáneo, al contacto y/o a la movilización en las articulaciones afectadas.
- Tumefacción. Hinchazón articular.

- Deformidad articular bilateral y simétrica, aunque suele afectar más a un lado que a otro.
- Limitación de la movilidad articular.
- Pérdida de fuerza muscular.
- Calor o fiebre, enrojecimiento, endurecimiento.
- Anquilosis.
- Rigidez matutina.
- También puede darse anorexia y pérdida de peso.

Debido a las limitaciones que provocan todos estos síntomas, la vida de las personas con artritis reumatoidea se ve seriamente afectada ya que experimentan una importante dificultad en la realización de las actividades de autocuidado, el trabajo y en las actividades relacionadas relacionadas con el ocio. La situación conduce a la aparición de síntomas secundarios a nivel afectivo y emocional.

Según su localización se distinguen diferentes tipos de artritis reumatoidea (AR):

- AR temporomaxilar: problemas de masticación.
- AR cervical: dolor, vértigo y parestesias en las manos.
- AR de miembros superiores: limitación en la articulación del hombro, deformación en la flexión del codo y alteraciones en la pronosupinación. Frecuentemente, se desarrolla síndrome del túnel carpiano y una fusión ósea de las articulaciones intercarpianas. Las manos están muy afectadas con desviación cubital que dificulta la ejecución de las actividades de la vida diaria.
- AR de cadera: deformación en flexión y una limitación en el recorrido del arco articular.

- AR de rodilla: deformación en flexión y rotación en valgo del tobillo y el pie. Los pies se afectan en los primeros estadios de la enfermedad lo que dificulta la deambulación.

DIAGNÓSTICO OCUPACIONAL

La valoración del paciente es el punto de partida para poder fijar unos objetivos de tratamiento individualizados y realistas. Se realiza a través de la observación y de entrevistas al paciente y a sus familiares, contando con la ayuda de diferentes escalas. Se recogerán los datos referentes a aspectos físicos, funcionales, sociales, sus recursos, datos referentes a su entorno y a requerimientos de su vida cotidiana.

Como en la osteoartrosis, se valorarán los componentes de ejecución sensoriomotores, cognitivos y psicosociales.

También se valorará la funcionalidad del enfermo en las diferentes áreas de autocuidado, trabajo y ocio.

TRATAMIENTO GENERAL

El tratamiento se centrará en disminuir el dolor y la inflamación y mantener la función y prevenir y/o corregir las deformidades. Debe de realizarse un programa de protección articular y de soporte psicológico que ayude a sobrellevar la enfermedad.
Es necesaria la intervención de un equipo multidisciplinar (EMD) para ofrecer un tratamiento integral. El tratamiento se aborda desde distintas perspectivas:

- Tratamiento farmacológico: se utilizan dos tipos de fármacos: para aliviar a corto plazo el dolor y la inflamación (analgésicos, antiinflamatorios no estereoideos...); y los modificadores de la enfermedad que a largo plazo disminuyen la actividad de la misma.

- Tratamiento rehabilitador: dirigido a paliar y evitar los síntomas de dolor e inflamación, prevenir el progreso de la deformidad y favorecer la independencia.

- Tratamiento quirúrgico: puede ser necesaria la intervención quirúrgica dirigida al alivio del dolor y a la mejoría estética porque, aunque mejora la calidad de vida, no siempre supone una mejoría funcional.

TRATAMIENTO OCUPACIONAL

Los objetivos desde TO dependen de los problemas y necesidades así como la fase en que se encuentre la enfermedad:

- Mantener y/o aumentar la movilidad articular, fuerza, resistencia y habilidad.
- Prevenir y/o corregir deformidades.
- Realizar un programa de protección articular.
- Adiestrar al enfermo en el uso de ortesis o férulas.

El tratamiento ha de enfocarse a corto y largo plazo por ser una enfermedad de larga evolución y darse en brotes.

El tratamiento es individualizado y dependerá de la evolución de cada persona; es necesario realizar evaluaciones periódicas del paciente para modificar planteamientos terapéuticos y adaptarlos a su situación en cada momento.

Como regla general, todas las actividades se realizarán en dirección opuesta a la deformidad y siguiendo las pautas de protección articular:

- Reducción del esfuerzo y conservación de la energía.
- Respeto al dolor.
- Mover las articulaciones en su plano normal anatómico y funcional.
- Utilizar las articulaciones más fuertes.
- Distribución de cargas entre varias articulaciones.
- Relación actividad/descanso.
- Uso de ayudas técnicas.

ACTIVIDADES DE LA VIDA DIARIA (AVD)

El terapeuta ocupacional debe facilitar que el paciente se desenvuelva de forma autónoma, lo mejor posible, en todos sus entornos: actividades de autocuidado, laborales y de ocio. Muchas de estas actividades será necesario adaptarlas conservando la posibilidad de realizarlas y otras será necesario reorientarlas (actividades laborales y recreativas).

El entrenamiento de las actividades de la vida diaria conlleva:

- Hacer consciente al paciente de sus limitaciones y capacidades.
- Enseñar cómo realizar tareas con el uso de férulas indicadas.
- Cambiar hábitos contraproducentes e incluir otros nuevos más eficaces que no agredan las articulaciones afectadas,

como realizar descansos entre las actividades, cambiar la forma de llevar las cargas, etc.

- Adaptación del entorno.
- Enseñar en el uso de ayudas técnicas para facilitar la realización de las tareas.

A modo de consejos generales, los pacientes no deben realizar la pinza y la presa manual con excesiva resistencia. Para evitar tipo de movimientos en algunas acciones cotidianas es posible recurrir a trucos caseros: para abrir un frasco, estabilizarlo sobre una toalla húmeda o sujetarlo entre las rodillas y utilizar ambas manos para abrirlo en dirección radial; para escurrir el agua de una prenda mojada, exprimirla en lugar de retorcerla; para tender la ropa, usar pinzas de mango largo y usar toda la mano para intentar abrirla.

Usar las partes proximales del cuerpo en vez de distales cuando se lleven cargas, por ejemplo, llevar la bolsa de la compra o el bolso apoyadas en el antebrazo y nunca en la mano a modo de garra; al transportar un objeto colocar una mano a modo de bandeja y la otra mano como si fuera una tapadera; una pila de platos se transporta más fácilmente apoyada en ambos antebrazos.

Utilizar una mesa accesoria sobre la mesa donde se come disminuye el recorrido del cubierto desde el plato a la boca, facilitando la maniobra cuando hay una disminución de movilidad en el hombro, a la vez que economiza energías.

En cuanto al vestido, las mayores dificultades aparecen al abotonarse o subir cremalleras, por lo que el uso de sistemas de autocierre limitará el problema.

Los mangos largos facilitan el acceso a zonas difíciles cuando el enfermo se baña o se asea.

Las transferencias son más fáciles si la silla y la cama son altas. Para levantarse de la silla, usar los reposabrazos evitando las desviaciones cubitales; no emplear nunca la mano con el puño cerrado.

ADAPTACIÓN DEL ENTORNO

Entre otros aspectos se incluye: suficiente iluminación; colocación de muebles; eliminación de alfombras; uso de barras de sujeción en escaleras o baño; altura de mesas, inodoro y asientos adecuadas; interruptores de fácil pulsación; puertas y ventanas ligeras; grifos monomando; colocar las cosas necesarias al alcance, etc.

Las ayudas técnicas o adaptaciones sólo deben utilizarse para aumentar la funcionalidad del enfermo o para proteger las articulaciones deterioradas.

Es imprescindible, antes de dar el alta al paciente, visitar su hogar para identificar las barreras arquitectónicas; reorganizar, si es necesario, los muebles e instalaciones sanitarias y adaptar el espacio y los elementos de trabajo.

OSTEOPOROSIS (OP)

DEFINICIÓN

Es la disminución de la masa ósea hasta un nivel inferior al necesario para asegurar el apoyo mecánico que sea adecuado. El final es un hueso poroso y frágil, propenso a las fracturas.

Afecta principalmente a las mujeres mayores de 60 años.

Los factores de riesgo más destacados son la raza blanca o amarilla, antecedentes familiares y hábitos nocivos (mala alimentación –exceso de sal, proteínas, fosfatos y café-, vida sedentaria y consumo de tóxicos).

CLÍNICA

Riggs et als las dividieron en:

- Tipo I: Osteoporosis postmenopáusica o acelerada: afecta a mujeres entre 15 y 20 años tras la menopausia.
- Tipo II: Osteoporosis senil: afecta por igual a hombres y a mujeres mayores de 70 años. En este grupo son frecuentes las fracturas de Colles, cabeza y cuello femoral, cabeza humeral, pelvis y tibia.
- Osteoporosis localizadas: debidas a patologías puntuales (artritis reumatoidea, traumatismos, inmovilizaciones, enfermedades neurológicas...).

También pueden provocar osteoporosis las deficiencias alimentarias (dietas pobres en Ca y en vitaminas D y C) o la ingesta de medicamentos.

Los síntomas son dolor, fracturas (Colles y zona femoral) y deformidades. Esta clínica impide al enfermo conseguir una sedestación cómoda, encontrar vestidos que le sienten bien (deformidad cifótica en la espalda), caminar en posición erguida (andan mirando al suelo por los problemas de columna) o deambular con paso largo (tiende a arrastrar los pies).

DIAGNÓSTICO OCUPACIONAL

Describir y clasificar las alteraciones o posibles alteraciones que pueden aparecer en el desempeño ocupacional.

Los pasos a seguir son los mismos que para los procesos osteoarticulares explicados anteriormente.

TRATAMIENTO GENERAL

La osteoporosis es una enfermedad silente, ya que la pérdida ósea se produce sin síntomas. Las personas no suelen saber que padecen la enfermedad hasta que se produce una fractura, frecuentemente después de una pequeña caída que normalmente no significaría lesión. Algunos profesionales como, por ejemplo, los geriatras (especialistas en el tratamiento de los ancianos), los endocrinólogos (especializados en deformidades del sistema endocrino que afectan a las glándulas y hormonas) y los cirujanos ortopédicos (tratan fracturas como las debidas a la osteoporosis) tienen más preparación y experiencia que otros en el diagnóstico y el tratamiento de las personas con osteoporosis.

La osteoporosis es una enfermedad que se puede prevenir así que la dieta será sana baja en grasas y productos animales y que contenga cereales integrales, frutas y verduras frescas y alimentos ricos en calcio, junto con suplementos nutricionales -calcio, magnesio y vitamina D-. Además las mujeres deben comer más productos de soja.

Las mujeres deben someterse a una determinación periódica de la densidad ósea en la menopausia y posteriormente, dependiendo del estado de sus huesos. La prueba debe llevarse a cabo en los hombres a los 65 años. Los hombres y mujeres con factores de riesgo adicionales (tomar algunos medicamentos) pueden someterse a la prueba antes.

TRATAMIENTO OCUPACIONAL

El tratamiento de TO incluye la prevención y la rehabilitación.

- Prevención: La enfermedad todavía no ha sido diagnosticada, pero existen factores de riesgo que hacen temer la futura aparición de la misma. Se llevarán a cabo programas de actividades que incluyan la movilidad global del enfermo. Además, se realizarán campañas para evitar hábitos nocivos y se ofrecerán opciones para modificarlos por otros más saludables.
- Rehabilitación: La enfermedad está diagnosticada e incluso ha originado alguna fractura. La TO actuará de forma localizada (fractura) y global (para mantener la movilidad y evitar inactividad).

ACTIVIDADES DE LA VIDA DIARIA (AVD) Y ADAPTACIÓN DEL ENTORNO

Es preciso realizar un estudio de la vivienda del enfermo para eliminar factores de riesgo que ocasionen caídas a la vez que se adapta el entorno para hacer la vida más cómoda.

Todos los consejos de protección articular y adaptaciones citados en la osteoartrosis y artritis reumatoidea pueden ser aplicados en la osteoporosis.

BIBLIOGRAFÍA

Ballina FJ y cols. Artritis reumatoide: *Guía de la enfermedad para el paciente*. Sociedad Española de Reumatología.

Bernal L. *Fisioterapia en reumatología*. Temas para oposiciones de fisioterapia.

Chapinal A. *Rehabilitación de las manos con artritis y artrosis en Terapia ocupacional*. 1ª ed. Barcelona: Masson, 2001.

Durante Molina P; Pedro Tarrés P. *Terapia Ocupacional en Geriatría: Principios y Práctica*. 2ª ed. Barcelona: Masson, 2004.

Hopkins HL; Smith HD. *Terapia ocupacional (Willard/Spackman)*. 8ª ed. Madrid: Médica Panamericana, 1998.

Massardo Vega L. *¿Qué es el reumatismo?*. Apuntes de Reumatología. P. Universidad Católica de Chile.

Simon L; Brun M; Houlez G. *Poliartritis Reumatoide y economía articular*. Documenta Geigy: Barcelona, 1994.

Trombly CA. *Terapia ocupacional para enfermos incapacitados físicamente*. 1ª ed. México: La Prensa Mexicana, 1990.

Turner A; Foster M; Johnson S. *Terapia Ocupacional y disfunción física. Principios, técnicas y prácticas*. 5ª ed. Madrid: Elsevier Science, 2003.

Domingo García AM. *Tratamiento de la rizartrosis en terapia ocupacional*. Revista Informativa de la Asociación Profesional Española de Terapeutas ocupacionales 2006; 39: 9-12.

Paulino Tevar J. *Artrosis Visión Actual*. Grupo Aula Médica, S.A. Madrid, 1997.

Romero Ayuso D; Moruno Miralles P. *Terapia Ocupacional: Teoría y Técnica*. 1ª ed. Barcelona: Masson, 2003.

Polonio López B; Garra Palud L (colaborador). *Terapia Ocupacional en Discapacitados Físicos: Teoría y Práctica*. Madrid: Médica Panamericana, 2003.

Carnevali D; Maxine R. *Tratado de Geriatría y Gerontología*. México: Interamericana, 1988.

Chapuy PH, et al. *Alimentación de la persona de edad avanzada*. Cuadernos de dietética, nº 4. Barcelona: Masson, 1994.

Fabris F; Pernogotti L; Ferrario E. *Sedentary life and nutrition*. Raven Press: Nueva York, 1988.

Gullén Llera F; Pérez del Molino J. *Sindromes y cuidados en el paciente geriátrico*. Barcelona: Masson-Salvat Medicina, 1994.

Thevenon A; Pollez B. *Rehabilitación en geriatría.* Barcelona: Masson, 1994.

PATOLOGÍAS NEUROLÓGICAS

ACCIDENTE CEREBROVASCULAR (ACV)

DEFINICIÓN

Un ACV es una interrupción del suministro de sangre en una determinada área encefálica. Suelen presentarse de forma brusca, de ahí que sean denominados genéricamente "ictus cerebrales". Su perfil evolutivo consiste en un comienzo brusco, estabilización y tendencia a la regresión.

La lesión puede estar causada por:

- Trombosis: transtorno vascular en el que se forma un trombo en el interior de un vaso sanguíneo.
- Embolia: proceso circulatorio anormal en el que un émbolo viaja a través del torrente circulatorio hasta que queda alojado en un vaso.
- Anoxia: ausencia de oxígeno en el cerebro.
- Hemorragia: pérdida de una gran cantidad de sangre en un corto periodo de tiempo, externa o internamente.
- Aneurisma: dilatación localizada de la pared de un vaso sanguíneo.

Independientemente de la causa que provoca el ACV, siempre encontramos una lesión focal que generalmente cursa con parálisis o paresia de un lado del cuerpo (hemiplejía o hemiparesia) o de ambos lados (hemiplejía o hemiparesia bilateral).

Entre los factores de riesgo que se consideran predictivos de una mala evolución funcional cabe destacar la edad avanzada, presencia de enfermedades asociadas, incontinencia de esfínteres, existencia de déficits visuoespaciales y cognitivos, disminución del nivel de conciencia y depresión.

CLÍNICA

Las lesiones ocasionadas pueden ser:

- Motrices: alteración del tono muscular que oscila desde la ausencia de tono muscular, a un hipotono o a un hipertono. Esta alteración del tono va a tener una incidencia directa en la ejecución de las actividades de la vida diaria.
- Sensoriales: alteración de la propiocepción, de la sensibilidad táctil, transtornos visuales, etc.
- Perceptivas: alteración del esquema corporal, de las relaciones espaciales, agnosia, apraxia.
- Cognitivas: dificultades para concentrarse, en la memoria, para tomar decisiones, etc.
- Psicológicas: dificultad para controlar el estado de ánimo (labilidad emocional, agresividad, frustración).

Las consecuencias del ictus dependen de la gravedad de la lesión, del territorio cerebral afectado y de la recuperación espontánea del propio cerebro.

DIAGNÓSTICO OCUPACIONAL

Cada paciente con ACV tiene su propia combinación de incapacidades; se debe hacer una evaluación cuidadosa que nos indique la etapa en la que se encuentra el paciente, las deficiencias existentes y sus problemas interrelacionales antes de desarrollar un plan de tratamiento.

Es muy importante conocer cuál era la personalidad premórbida del paciente mediante una entrevista al paciente o a sus familiares.

El terapeuta ocupacional evaluará las alteraciones producidas por el ACV: tono muscular; control motor; alteraciones sensoriales; deficiencias preceptúales; problemas asociados y otras complicaciones.

Una vez realizada la evaluación, se podrán fijar objetivos de tratamiento realistas y significativos para el paciente.

TRATAMIENTO GENERAL

El equipo multidisciplinar (EMD) trabajará para conseguir que la persona pueda desempeñar un nivel de ocupación lo más similar posible al que presentaba antes de sufrir el ACV.

Los objetivos generales de tratamiento son:

- Orientar el quehacer diario.
- Mejorar y compensar los déficits sensoriomotores, perceptivos y cognitivos.
- Facilitar la adaptación y ajuste a la discapacidad.

Dichos objetivos deben ser consensuados entre el equipo y el enfermo.

TRATAMIENTO OCUPACIONAL

Con la finalidad de que el terapeuta ocupacional interprete adecuadamente su función, es conveniente señalar las dificultades que posee una persona que ha sufrido un ACV.

- Realizar tareas que requieran mantener un buen equilibrio en sedestación: realizar cualquier actividad mientras está sentado y/o de equilibrio en bipedestación: subirse la ropa de la mitad inferior...
- Realizar tareas en que deba transladarse de un lugar a otro: desplazarse por la cocina llevando un plato, caminar hasta el armario donde guarda la ropa...
- Alcanzar, coger, manipular objetos que requieran utilizar las dos manos: botes, botones, rollo de papel higiénico, poner jarabe de una cuchara...
- Ejecutar tareas unimanuales que requieran habilidad (en caso de afectación del miembro dominante): afeitarse con una cuchilla.
- Deglutir alimentos.
- Relacionar las partes del propio cuerpo con la actividad (cepillo de dientes con dientes; pernera de pantalón con pierna correspondiente...).
- Recordar pasos de la tarea.
- Resolver problemas que surjan en la realización de la tarea.
- Completar la actividad.

Además, el enfermo puede:

- Mostrar desinterés por la actividad.

- Experimentar dolor al realizar la actividad.

Por ello, siempre que sea posible el tratamiento debe ser **precoz** para intentar reducir al mínimo las secuelas funcionales y reeducar al paciente en las tareas cotidianas. La intervención del terapeuta ocupacional dependerá de la fase en que se encuentra el enfermo.

En la fase *aguda* nuestros objetivos se centran en:

- Conseguir el máximo arco de movimiento y coordinación de los miembros afectados.
- Proporcionar una estimulación controlada.
- Promover el desarrollo de patrones normales de movimiento.
- Enseñar al paciente a relajarse.
- Facilitar la independencia en las actividades de la vida diaria.
- Mejorar las habilidades perceptivo-cognitivas.
- Motivar al paciente a realizar las actividades rutinarias y conocidas para él.

En la fase *no aguda*:

- Independencia básica en las actividades de la vida diaria básicas.
- Concienciar y aceptar la habilidad funcional.
- Habilidad para lograr integración social y comunicación básica (verbal o no verbal).
- Uso de ayudas técnicas o adaptaciones para incrementar la función.

49

- Integración de las extremidades afectadas.
- Adaptar el entorno de la forma adecuada a las necesidades del enfermo.
- Recuperar una calidad de vida significativa.

El tratamiento de TO incluye las siguientes actividades:

1.- Actividades ocupacionales: hay que dividir la actividad en etapas; evitar la sobreutilización del hemicuerpo no afectado (los gestos se realicen de la manera más simétrica posible) e involucrar el hemicuerpo afectado cuidando que se utilice de la manera más normal.

Se puede comenzar realizando actividades en sedestación pero tan pronto como sea posible se realizarán actividades en bipedestación. Al existir la posibilidad de deambular, se introducirán actividades donde haya etapas en las que sea necesario desplazarse de un lugar a otro, como por ejemplo, ir al lavabo o coger ropa del armario y transportarla. Cuando se necesite el uso de ayudas técnicas o de silla de ruedas para el desplazamiento, se entrenará en la realización de estas actividades con estas ayudas. En cuanto a la extremidad superior, si no tiene capacidad para realizar movimientos funcionales, debe estar correctamente posicionada mientras realiza la actividad, pudiendo quedar apoyada sobre el borde de la cama, sobre el muslo afectado o sostenida por alguien. A medida que se va recuperando el control motor, se empieza a utilizar la extremidad superior afectada en diferentes actividades, como fijar la tostada para untarla o sujetar los pantalones para abrocharlos.

Es de suma importancia, reforzar los logros que la persona haya conseguido e insistir, de manera cariñosa, que tome el máximo de responsabilidad posible en su tratamiento y que cada día puede evolucionar un poco más. El objetivo es que sea autónomo, física y psíquicamente.

2.- Actividades funcionales: se realizan paralelamente a las actividades ocupacionales e irán dirigidas a mejorar los déficits específicos de los componentes de ejecución, anteriormente explicados. Los tipos de actividades funcionales son:

- Actividades autoasistidas: en estas actividades la extremidad superior no afectada asiste a la afectada para efectuar los movimientos. Se realizan con las dos manos cruzadas y los dedos entrelazados. El pulgar de la mano afectada debe estar por fuera de la no afectada, con las palmas de las manos bien pegadas. Desde esta posición se puede pedir a la persona que deslice objetos y que los deposite o encaje en otro. La actividad se puede realizar en distintos planos de trabajo y a menor o mayor distancia (en el suelo, en el taburete, en el lado afectado, en el lado no afectado,...) para permitir variedad de movimientos. Se pueden realizar actividades tales como, de encaje, de pelota, jugar a los bolos, juegos de mesa con piezas grandes...

- Actividades unimanuales con la extremidad superior no afectada: mientras se realizan estas actividades la extremidad afectada se encuentra en reposo y correctamente posicionada. Se utilizan para desarrollar la habilidad en la extremidad superior no afectada y para

51

abordar problemas cognitivos y perceptivos. Algunos ejemplos de estas actividades son: puzzles, juegos de mesa, lectura, pintura, escritura, bordado adaptado…

- Actividades unilaterales con la extremidad superior afectada: son actividades en las que intervienen hombro, codo y muñeca. El enfermo todavía no tiene capacidad de prensión. Se realizan para que el enfermo tome conciencia del hemicuerpo afectado. Se deslizarán objetos (pelota, bolos, conos,…) situados en el suelo o sobre la mesa. Con estas actividades, se puede prevenir problemas de hombro doloroso.

- Actividades unimanuales con la extremidad superior afectada: la persona tiene cierta capacidad de prensión. Si la persona puede abrir y cerrar la mano, se le pedirá que coja y suelte objetos de tamaño medio. Se puede variar el tamaño de los objetos, el lugar dónde los coge (mano del terapeuta ocupacional, mesa, taburete, cesto,…) y dónde los deja. La tarea se complicará si además de soltar los objetos se deben encajar.

- Actividades bimanuales: dirigidas a mejorar la coordinación bimanual. Se debe tener en cuenta que cuando la extremidad superior afectada es la dominante, en pocos casos podrá volver a actuar como tal. Algunas actividades que se pueden realizar: contar monedas pasándolas de una mano a otra, jugar con las cartas, escribir a mano, pasar las hojas de un periódico, tejer, bordar, pintar…

3.- *Actividades cognitivas:* las tareas que se incluyen son:

- Denominación diaria de la fecha del día, dirección donde vive, con copia posterior en una libreta.
- Identificar entre varias fichas de madera, letras y números.
- Ejercicios de orientación temporal, con un reloj grande, para trabajar la capacidad de orientarse en el tiempo en las diferentes tareas cotidianas básicas.

- Dibujar de forma espontánea, dirigido y con copia.
- Ordenación alfabética de palabras escritas.

- Clasificación de palabras por categorías.
- Asociación de palabras con imágenes.

- Verbalizar detalles de una ficha (colores, tamaños, diferencias y semejanzas, etc.).
- Juegos de parejas.
- Completar series de figuras, letras o números.
- Ordenar secuencias de actividades cotidianas.
- Presentar distintas actividades cotidianas en las que el enfermo tiene que resolver la situación.
- Búsqueda de palabras en el diccionario o informaciones en periódicos o revistas.
- Completar refranes y explicar su significado.
- Ejercicios de reconocimiento y uso del dinero.

En el domicilio, las actividades serán las mismas que las realizadas en la sala de Terapia Ocupacional, teniendo en cuenta la limitación en recursos materiales que hay en una casa.

ACTIVIDADES DE LA VIDA DIARIA (AVD)

Es necesario readaptar las actividades y, fundamentalmente, formar a los familiares o cuidadores del paciente acerca de la nueva situación y su forma de comportamiento físico y conductual con el paciente.

ADAPTACIÓN DEL ENTORNO

El entorno y los objetos deben adaptarse a cada enfermo según sus necesidades, pero en general, se dispondrán de manera que la mayoría de estímulos provengan del lado afectado para estimular la orientación hacia ese lado.

El espacio donde se lleven a cabo las actividades debe de estar lo más organizado posible. Los objetos deben estar siempre en el mismo lugar y al alcance; ésto es muy importante en casos con problemas visuales y de memoria.

LESIONES MEDULARES (LM)

DEFINICIÓN

Trauma que interrumpe en todos los aspectos de la vida diaria disminuyendo las capacidades físicas de la persona y limitándola para llevar a cabo sus ocupaciones.

Las causas más frecuentes de lesiones medulares traumáticas son accidentes de tráfico, accidentes laborales, deportivos, recreativos o por actos físicos violentos, entre otros.

Por otro lado, existen enfermedades que producen lesiones en médula directamente: procesos tumorales, afecciones víricas, enfermedades degenerativas, transtornos vasculares y causas congénitas.

CLÍNICA

Independientemente que el origen de la lesión medular sea traumático o no, los síntomas y signos son similares.

Según el nivel de la lesión, la persona presentará:

- Tetraplejía: disminución o pérdida de la función motora y/o sensitiva en los segmentos cervicales. Disminución de los miembros superiores e inferiores, tronco y órganos pélvicos.
- Paraplejía: disminución o pérdida de la función motora y/o sensitiva en los segmentos torácicos, lumbares o sacros. Deja indemnes los miembros superiores pero dependiendo del nivel puede involucrar miembros inferiores, tronco y órganos pélvicos.

Según la extensión, la lesión puede ser:

- Completa: no hay preservación de la función motora y/o sensitiva en los últimos segmentos torácicos (S4, S5).
- Incompleta: preservación parcial de la función motora y/o sensitiva por debajo del nivel neurológico lesionado incluyendo los últimos segmentos torácicos.

La lesión de la médula espinal conduce, generalmente, a una incapacidad permanente en la cual existe pérdida de la capacidad motora de las extremidades y de los órganos internos situados por debajo del nivel de la lesión. Las complicaciones físicas que aparecen con la pérdida de esta función crean problemas adicionales relacionados con la imagen corporal y la función social. En definitiva, una lesión medular no sólo ocasiona problemas físicos sino también psicológicos, emocionales y sociales ejerciendo un efecto negativo tanto en el paciente como en la familia y en el entorno social.

Otras alteraciones que aparecen en una lesión medular son:

- Pérdida de sensibilidad.
- Pérdida de la regulación intestinal y vesical.
- Problemas para regular la temperatura corporal.
- Sudoración por encima o por debajo de la lesión.
- Atrofia corporal generalizada.
- Alteraciones en la función respiratoria en las lesiones altas.

DIAGNÓSTICO OCUPACIONAL

La valoración del paciente *tetrapléjico* comienza cuando está en la cama. Así, para conocer inicialmente las habilidades y déficits funcionales del paciente evaluaremos: arco de movimiento articular pasivo y activo; movilidad general y función de los brazos y del tronco; sensibilidad; necesidad de férulas de mano y examinar los miembros para determinar las áreas enrojecidas que indiquen presión.

Se realizará una valoración funcional para evaluar los cuidados personales y todas las actividades de la vida diaria (AVD). Incluyendo las adaptaciones del hogar.

La valoración del paciente *parapléjico* incluye variaciones en la habilidad funcional del paciente dependiendo del nivel de la lesión. Evaluaremos el arco de movimiento y la fuerza muscular de los miembros superiores que debe ser mormal aunque pueda estar debilitada.

También se llevará a cabo una valoración funcional.

TRATAMIENTO GENERAL

El proceso de rehabilitación engloba muchos aspectos de la persona y de su entorno familiar, físico y social.

El rol que debe adoptar el equipo multidisciplinar (EMD) en las distintas etapas por las que pasa la persona con lesión medular es el siguiente:

En la primera fase (shock medular y psicológico) ha de mantener una función de contención, para lo cual es importante mantener un entorno estable; cuando sea necesario dar explicaciones, éstas serán fácilmente comprensibles, evitando tecnicismos y ayudando a la persona a anticipar experiencias inmediatas.

En la fase más activa de rehabilitación, a la persona se le plantea vivir con la lesión medular lo cual va a suponer importantes cambios cognitivos, comportamentales y emocionales. El enfermo debe aprender a reconocerse de nuevo en su propio cuerpo y a establecer nuevas formas de relación con los demás. El paciente con lesión medular tiene que aprender a ser dependiente en áreas de su vida en las que antes de producirse la lesión era independiente.

Esta adaptación implica también a su entorno más inmediato, por lo general, un familiar próximo. No hay que desatender las necesidades de los cuidadores pues ellos también se han de adaptar a esta nueva situación. La función del equipo multidisciplinar (EMD) tendrá un carácter didáctico. Durante el periodo de hospitalización, el equipo multidisciplinar (EMD) puede estimular al paciente para que vaya a su casa los fines de semana y así utilizar en su propia vivienda las destrezas adquiridas en el hospital. A partir de estas visitas, el paciente, la familia y el terapeuta ocupacional pueden trabajar juntos en la planificación para la vida en el hogar y las renovaciones arquitectónicas.

TRATAMIENTO OCUPACIONAL

En la planificación del tratamiento de un lesionado medular nuestro objetivo será siempre conseguir el mayor grado de independencia personal, considerando que la independencia no sólo se refiere a un estado físico sino a una actitud de la persona en la cual sea capaz de resolver sus problemas, de responsabilizarse de si mismo y de establecer sus propias metas y objetivos.

Normalmente la rehabilitación comienza con el paciente hospitalizado. Nos centraremos en proporcionar al paciente las habilidades que le faciliten el levantarse de la cama y las tareas de cuidado personal.

Intervención con un tetrapléjico

Los objetivos del tratamiento, en un principio, serán la prevención de escaras, el mantenimiento de la movilidad articular y la prevención de contracturas para, posteriormente, fortalecer la musculatura restante, mejorar las actividades de la vida diaria

(AVD), realizar las adaptaciones y aconsejar sobre las ayudas técnicas necesarias.

Fase cama: se estimulará al paciente para que utilice todo el movimiento posible e incrementar así la resistencia física, la fuerza y la habilidad funcional.

- Controlar la posición en la cama para prevenir úlceras por decúbito y contracturas.
- Masajear suavemente y estimular los receptores sensitivos de los miembros superiores para promover conciencia sensitiva y localización táctil.
- Compensar la falta de sensibilidad mediante control visual.
- Ejercicios activo-asistidos en las manos y en los brazos en todo su arco de movimiento.
- Estimular al paciente a adaptarse a la posición vertical incorporando la cama.
- Realizar las adaptaciones necesarias de su entorno que le permitan la mayor autonomía posible (uso de atriles, mesas adaptadas a la cama, etc.).

Fase silla de ruedas: las actividades deben aumentar el arco de movimiento articular de los miembros superiores, fuerza, tolerancia física, prensión y adaptación psicológica.

- Actividades que incluyan el uso de las ayudas técnicas para aumentar la habilidad y la autonomía.
- Actividades con objetos de distintos tamaños, pesos y texturas mejoran la prensión.
- Actividades técnico terapéuticas adaptadas, como carpintería.

- Actividades lúdicas que permitan la socialización (lanzamientos de pelota, damas, ajedrez, etc.).

- Tecnología asistida.

Intervención con un parapléjico

Los objetivos de tratamiento serán la prevención de escaras, mantener la movilidad articular, mejorar la potencia muscular de la musculatura no afectada, prevenir contracturas, conseguir la independencia en las actividades de la vida diaria (AVD) y la integración familiar y social.

Fase cama:

- Actividades para fortalecer brazos y manos.
- Ejercicios de cambio de decúbitos.
- Sentarse en la cama.
- Actividades de cuidados personales que aumentan la autoconciencia, responsabilidad y autoestima.
- Transferencias.

Fase silla de ruedas:

- Independencia en las actividades de la vida diaria (AVD), incluyendo la ortesis de marcha para la deambulación.

- Actividades para potenciar la musculatura de los miembros superiores.
- Actividades que aumenten el equilibrio de tronco.
- Actividades lúdicas en grupo que ayudan a desarrollar la autoconciencia, destrezas sociales y responsabilidad.

El paciente parapléjico dependerá de sus brazos para cualquier actividad que vaya a desarrollar. Las destrezas que se inician durante la hospitalización ayudan al paciente a aceptar las limitaciones y a utilizar las habilidades para desarrollar destrezas y actitudes sociales.

ACTIVIDADES DE LA VIDA DIARIA (AVD)

El entrenamiento en las actividades de la vida diaria (AVD) dependiendo del tipo de lesión puede iniciarse cuando el paciente todavía se encuentra en la fase cama o en la fase de silla de ruedas cuando el paciente ha adquirido mayor capacidad funcional.
Aunque el paciente tetrapléjico puede tener poco arco de movimiento y fuerza muscular para realizar las actividades de la vida diaria (AVD), es esencial que utilice todo su potencial para lograr parte de estas actividades.

Los pacientes con lesiones altas precisan de una silla de ruedas, también pueden usar una grúa que permita a una sola persona poder manejarlos para las actividades de la vida diaria (AVD). En lesiones más bajas, las ayudas técnicas pueden ayudar a la persona a realizar las actividades de la vida diaria (AVD) de forma independiente como, por ejemplo, las férulas y adaptaciones que les permita comer solos, afeitarse, escribir, etc.

Existen en el mercado una amplia gama de sistemas computerizados controlados electrónicamente que permiten desde elevar el cabecero de la cama hasta encender luces, abrir puertas, ventanas, utilizar un ordenador, etc.

ADAPTACIÓN DEL ENTORNO

Paralelamente al entrenamiento de las actividades de la vida diaria (AVD), se debe evaluar la necesidad de introducir adaptaciones o ayudas técnicas para la alimentación, tareas de apariencia externa, uso de diferentes sistemas de comunicación y manejo de silla de ruedas.

Alimentación:

- Para utilizar el tenedor y la cuchara se introduce la adaptación universal (correa metacarpiana) con la que se logrará pinchar y recoger los alimentos y llevárselos a la boca.
- Para utilizar el cuchillo, también con adaptación universal, pero sólo para cortar alimentos blandos.
- Valorar si es capaz de beber en vaso de forma autónoma o necesita alguna adaptación.

Apariencia externa:

- Para lavarse la cara y las manos, usar un grifo monomando y jabón dosificador o pastilla.
- Para lavarse los dientes, se puede realizar una adaptación de termoplástico para sostener el cepillo de dientes.
- Para afeitarse, observar si el paciente puede sostener la máquina de afeitar con las dos manos o si necesita una adaptación.

Uso de diferentes sistemas de comunicación:

- Ordenador: realizar el entrenamiento del uso del teclado con punteros en ambas manos. Se puede utilizar un ratón tipo *trackball* (modelo de ratón fijo con bola y botones grandes).
- Teléfono (móvil o fijo): utilizar un puntero para teclear.
- Escritura: se puede realizar una adaptación de termoplástico en ocho.

Manejo de silla de ruedas:

- Utilizar una silla convencional adaptada con alargadores de frenos y pivotes en los aros. Utilizar gauantes de cuero; iniciar el entrenamiento del manejo por terreno llano y espacios cerrados (hospital, centros comerciales, etc).

ESCLEROSIS LATERAL AMIOTRÓFICA (ELA)

DEFINICIÓN

Enfermedad degenerativa, progresiva e incurable del sistema nervioso que afecta a la motoneurona superior e inferior, con afectación bulbar variable y sin alteraciones sensitivas, mentales, sensoriales ni esfinterianas.

Aparece en edad adulta (60-70 años).

El diagnóstico es diferencial y es muy importante la evolución clínica del enfermo, el pronóstico es 3-5 años (a veces se supera) y el final se debe a un fallo respiratorio por afectación de los músculos que intervienen en la respiración.

CLÍNICA

Los síntomas/signos característicos de la afectación de la **motoneurona superior o primera motoneurona** (Pardo y Noya, 1999) son:

- Debilidad y atrofia muscular leve.
- Hiperreflexia y reflejos patológicos (signo de Babinski).
- Espasticidad.

Los síntomas/signos característicos de la afectación de la **motoneurona inferior o segunda motoneurona** son:

- Debilidad y atrofia muscular acentuada.
- Hipo o arreflexia.
- Hipotonía.

- Fasciculaciones y calambres musculares.

Los síntomas característicos de la **afectación bulbar** (Pardo y Noya, 1999) son:

- Transtorno de la fonación (voz nasal).
- Disartria (dificultad para la articulación de la palabra).
- Disfagia (dificultad para tragar alimentos y líquidos).
- Sialorrea (exceso de saliva).
- Risa/llanto espasmódico (incontrolado).

DIAGNÓSTICO OCUPACIONAL

Esta enfermedad conlleva una amplia gama de consecuencias tanto a nivel físico como a nivel psicológico para la persona y familiares.
La evaluación tendrá en cuenta la repercusión que tiene la enfermedad en la persona y en su rendimiento ocupacional; la conducta y las motivaciones del enfermo.
Se tratarán de compensar las funciones deterioradas que permitan al enfermo mantener el mayor grado de autonomía personal durante el máximo tiempo posible.

La evaluación incluye: gama de movimiento, fuerza muscular, tono muscular, movilidad, transferencias, actividades de autocuidado y alimentación (masticación y deglución). Hay que identificar los problemas que requieren una solución inmediata: el conocimiento que tienen sobre la enfermedad el paciente y su familia, evaluar las habilidades funcionales y las necesidades del entorno.

TRATAMIENTO GENERAL

Actualmente el tratamiento es sólo sintomático. Existen fármacos y otras medidas para combatir la espasticidad, los calambres, los problemas de salivación, la disfagia, la debilidad, la alteración del sueño, los problemas respiratorios, la ansiedad y la depresión.

El único fármaco que puede retrasar la evolución de la enfermedad es el riluzol (está contraindicado en pacientes con insuficiencia renal o hepática).
La atención a estos enfermos es multidisciplinar (logopedas, terapeutas ocupacionales, fisioterapeutas, psicólogos, médicos, enfermeras, etc.). El equipo multidisciplinar (EMD) contribuirá a prolongar la independencia del paciente y a mejorar su calidad de vida.

La investigación en este campo está experimentando un fuerte impulso y se espera que en los próximos años aparezcan nuevos fármacos que permitan frenar definitivamente el proceso degenerativo.

TRATAMIENTO OCUPACIONAL

El tratamiento específico irá dirigido a:

- Mantener una gama completa de movimientos y evitar contracturas.
- Conservar la fuerza muscular, no fatigarse.
- Potenciar la independencia en todas las áreas de la actividad funcional.

- Utilización de ortesis, ayudas técnicas y adaptaciones para potenciar la autonomía en las actividades de la vida diaria (AVD).
- Entrenamiento en métodos para comunicación alternativa (pizarra, comunicador, programa de ordenador, etc.).
- Educar al paciente y a su familia en métodos para compensar las deficiencias de la deglución y/o entrenar a la familia en la forma de manejar al enfermo con grave afectación.

Un programa de ejercicios sencillos dirigido al enfermo y que puede llevar a cabo en su domicilio es el siguiente:

- EJERCICIOS PARA MANTENER LA FUERZA: la disminución de la fuerza es la responsable de que se caigan las cosas de las manos o no se pueda abrir el picaporte de la puerta. Algunos ejercicios para mejorar la fuerza de las manos son colocar pinzas de la ropa alrededor de una caja o coger objetos de distinto peso. Para fortalecer las piernas, el enfermo se puede sentar con los pies juntos, levantar una pierna hasta que consiga la máxima extensión y bajarla a la posición inicial. Se repetirá varias veces con cada pierna y también se puede realizar este ejercicio colocando un objeto de peso en el tobillo.

- EJERCICIOS PARA MANTENER LA COORDINACIÓN: la coordinación es fundamental para la realización de la mayoría de las actividades, pero sobre todo para aquella que requieren destreza manual. Algunas actividades son, por ejemplo, insertar cuentas en un alambre; introducir legumbres, de una en una, o con una cuchara en un recipiente; colocar un manguito con peso en el pie marcando las horas del reloj, manteniendo el otro pie apoyado. Otros ejercicios que se pueden realizar con la ayuda de un cuidador o un familiar son: la persona que le ayude coja su muñeca con una mano y los dedos con la otra y realice movimientos de balanceo hacia dentro, orientándola hacia el cuerpo, y hacia fuera, alejándola del mismo. También rotará la mano en el sentido de las agujas del reloj y después en sentido contrario. Otro ejercicio consiste en que el cuidador coja la muñeca del paciente con una mano y con la otra las puntas de los dedos y realice flexiones y extensiones de los dedos. Así mismo, cogerá el dedo pulgar del paciente y le ayudará a que se toque el resto de los dedos, uno a uno.

- EJERCICIOS PARA MEJORAR EL EQUILIBRIO: para mejorar el ejercicio existen una serie de ejercicios que, por la seguridad del enfermo y para evitar caídas, es recomendable que los realice en el agua. Un ejercicio consiste en que otra persona le lance un balón hacia un lado y el enfermo lo intente coger sin llegar a mover los pies. Otro ejercicio con balón sería lanzarlo, con ambas manos y por encima de la cabeza, a una persona que esté enfrente y vaya cambiando de posición. Ya fuera del agua, apoyándose con sus manos y rodillas encima de una colchoneta, el enfermo se tiene que desplazar a un lado manteniendo durante unos segundos esta posición y después realizar el ejercicio en sentido contrario.

- EJERCICIOS PARA MEJORAR LA DEAMBULACIÓN: de nuevo esta serie de ejercicios se recomienda realizarlos en el agua, ya que en este caso a parte de dar más seguridad también es menos cansado. Un ejercicio puede ser caminar tocando la rodilla con el talón opuesto, es decir, llevar el talón de un pie a la rodilla opuesta y avanzar caminando con ese pie (el del talón) y luego repetir el ejercicio cambiando de pierna. Otro, consiste en caminar por una línea recta colocando un pie delante de otro y separando los brazos para equilibrarse. También puede caminar hacia atrás, para ello, debe levantar la pierna doblando la rodilla haciendo una circunferencia de dentro hacia fuera, notando la resistencia del agua en la cara externa del muslo.

ACTIVIDADES DE LA VIDA DIARIA (AVD)

Puede llegar un momento en que la movilidad del enfermo se vea mermada y tenga que permanecer mucho tiempo en la cama o en una silla d ruedas. Por ello, es importante que se tengan en cuenta una serie de cuidados para prevenir posicionamientos anormales de las extremidades, contracturas y úlceras por presión.

Es importante que el enfermo y sus familiares conozcan las zonas del cuerpo más susceptibles de ulcerarse, que son las que coinciden con las prominencias óseas (talones, tobillos, sacro, caderas, codos, escápulas y cabeza). Las úlceras se producen como consecuencia de la presión continuada de estas zonas sobre el colchón o el sillón, por lo que es imprescindible realizar cambios posturales cada 3 ó 4 horas y proteger los puntos de contacto con almohadas, patucos, etc.

Cuando se hagan cambios posturales en la cama, el enfermo se colocará con las rodillas flexionadas para hacer el giro y el familiar le balanceará las rodillas y la cintura escapular al mismo tiempo.

Cuando el enfermo está en la cama, puede colocarse en distintas posiciones:

- Cuando el enfermo está en la cama en decúbito supino, se evitará que el cuello quede flexionado. El cuerpo debe estar bien alineado y las piernas ligeramente separadas. Para evitar que los miembros inferiores roten hacia fuera se colocarán unas almohadas a ambos lados de las piernas.
- Cuando se coloque de lado (decúbito lateral), se le pondrá una almohada entre las dos piernas, ligeramente flexionadas, procurando que la rodilla de arriba quede más adelantada. Por otro lado, el hombro que está en contacto con el colchón debe estar también más adelantado, con el

fin de que no soporte todo el peso del cuerpo y no se contracture. Se aconseja colocar una almohada en la espalda para que el cuerpo no se gire y que los brazos estén bien apoyados.

Cada vez que se realice un cambio postural se debe observar el estado de la piel por si existieran enrojecimientos y pequeñas heridas, en cuyo caso habría que extremar los cuidados y prevenir la presión de estas zonas.
Se puede adquirir un colchón antiescaras, si el enfermo tiene la posibilidad, ya que actúan alternando la presión sobre el cuerpo. Es importante insistir en que ningún colchón sustituye a los cambios posturales.
Se explicará el modo correcto de realizar las transferencias.

Si queremos levantar al enfermo de la cama y transferirlo a una silla o sillón, se procede de la siguiente manera:

- Una vez colocado el sillón paralelo a la cama, el cuidador rodeará con un brazo el cuello y los hombros y, con el otro brazo colocado bajo sus rodillas, realizará un giro con un movimiento firme, de manera que el paciente quede sentado en el borde de la cama, manteniéndole en esta posición unos instantes para evitar mareos.
- A continuación, el cuidador se colocará enfrente del paciente con los pies separados, le sujetará con ambas manos debajo de sus brazos, al mismo tiempo que flexiona las rodillas y las presiona sobre el paciente. Éste, elevará los brazos sobre los hombros del cuidador, quien realizará un giro para sentarlo en el sillón.
- Una vez que el paciente está sentado en muy importante que su espalda quede bien apoyada, manteniendo el eje

vertebral en línea recta. Es mejor utilizar sillones de respaldo alto. El tórax y la cabeza se mantendrán erguidos y en caso de falta de sostén cefálico habrá que recurrir a collarines cervicales. Las piernas deben quedar bien alineadas y los pies bien apoyados en el suelo.

- Si el translado es a una silla de ruedas, ésta debe estar frenada y a la misma altura de la cama siempre que sea posible.

Para prevenir caídas o desplazamientos de la silla o sillón, se sujetará a la persona con una sábana o dispositivos especiales de sujeción.

Cuando esté sentado no hay que utilizar dispositivos tipo flotador o anillo, ya que éstos favorecen una mayor presión sobre el sacro. Si el enfermo quiere estar más cómodo, deberá usar almohadas, cojines o superficies de apoyo para sillas.

Para acostar al enfermo, se colocará nuevamente la silla de ruedas (frenada) o el sillón al lado de la cama. El cuidador se colocará delante con las rodillas flexionadas que juntará a las del paciente y con un movimiento, le pondrá de pie, le rodeará con sus brazos por debajo de las axilas, le sentará en el borde de la cama, y le acostará sujetando la cabeza y elevando los pies.

El enfermo con ELA puede presentar problemas alimentarios a lo largo de su enfermedad que en mayor o menor grado repercutan en su estado nutricional. Por ello, es importante contar con la opinión del dietista para individualizar sus comidas según el transtorno del paciente o gusto del mismo.

Cuando el enfermo comience a presentar signos de disfagia es importante tener en cuenta la textura y consistencia de la comida; son más fáciles de tragar los alimentos sólidos de textura blanda o semisólidos. Las comidas frías (puré, helados y gelatinas) son más fáciles de tragar. Es necesario mantener un buen aporte de líquidos para evitar problemas de estreñimiento, deshidratación, problemas renales, etc. Hay que comer en correcta sedestación y en un ambiente relajado y cómodo, evitando distracciones y prisas.

Si el problema de disfagia se debe a un exceso de salivación, se realizarán succiones con algún aspirador de secreciones manual que le permiten mantener la boca limpia de saliva. Mantener una correcta higiene bucal.

Para ir al servicio es necesario establecer un horario fijo, sin prisas, con intimidad. Hay que aprovechar para ir después de las comidas o tras hacer ejercicio, momentos en los que la motilidad intestinal es mayor. Aunque no se tengan deseos de orinar, hay que establecer una rutina de horarios según sus necesidades. Por ejemplo, se puede iniciar con una pauta de acudir al servicio cada 2 horas; esta pauta se puede acortar o alargar según las necesidades de cada enfermo.

La higiene es fundamental para mantener un buen estado de la piel, prevenir complicaciones y proporcionar bienestar. Es importante que el enfermo mantenga durante el mayor tiempo posible la autonomía en la realización de su aseo personal. Sin embargo, dependiendo de la evolución de la enfermedad, puede precisar algún tipo de ayuda, tanto por parte de sus familiares o cuidadores como de las ayudas técnicas que le facilitarán esta actividad (explicadas en el apartado de ayudas técnicas).

El paciente con ELA suele tener importantes limitaciones en la comunicación con los demás lo que va a constituir la base de su vida social. Durante el proceso de la enfermedad puede que le cambie la intensidad o el tono de voz (disfonía), que tenga un habla nasal, dificultad en la articulación de la palabra (disartria) e incluso que pierda la capacidad para hablar (anartria). Estas alteraciones serán tratadas por el logopeda. No obstante, pueden resultar de utilidad las siguientes recomendaciones:

- Utilizar frases cortas eliminando palabras innecesarias.
- Hablar despacio.

- Aprender un ritmo de respiración y de pausas adecuado.
- Dar pistas al oyente mediante la expresión facial y corporal.
- Usar lápiz y papel siempre que sea posible.
- Mantener una actitud tranquila y relajada a la hora de hablar, procurando un ambiente silencioso.
- No beber ni comer mientras se habla para evitar el riesgo de aspiración.

Cuando la comunicación se hace difícil será necesario utilizar métodos alternativos, teniendo en cuenta que es necesario seleccionar el método más adecuado para cada paciente.
En el mercado existen numerosas ayudas técnicas que facilitan el desempeño de las actividades de la vida diaria (AVD), pero es importante saber en qué momento de la evolución de la

enfermedad deben ser utilizadas y cuáles son las más adecuadas. Debe evitarse que los familiares adquieran estas ayudas técnicas de manera indiscriminada e incorrecta llevados por la frustración e impotencia que provoca esta enfermedad.

De forma velada y suave, el terapeuta ocupacional debe hacerles comprender que será él quien aconseje cuando deban adquirirse.

Ayudas

ALIMENTACIÓN

- Engrosador de mangos universal
- Cubiertos adaptados y con mango anatómico
- Vasos con doble asa que facilitan el agarre
- Vasos con tetina que favorecen la succión
- Adaptadores de platos
- Abridores de frascos y botes

ARREGLO PERSONAL

- Sillas de ruedas especiales para introducirlas en la ducha
- Asientos giratorios para la bañera
- Barras fijas o asideros que permiten la sujeción y el impulso para levantarse
- Alfombras de baño antideslizante
- Alzas para el inodoro que facilitan el sentarse y el levantarse del mismo
- Abridor de grifos
- Dispensador de jabón
- Peine con mango largo
- Cepillo de dientes eléctrico o con mango grueso
- Adaptadores para corta uñas

- Alargadores para esponjas
- Lavacabeza
- Abrochabotones
- Calzador de mango largo
- Sube medias y calcetines
- Velcro para sustituir cordones y hebillas

MOVILIDAD

- Muletas (de 2, 3 ó 4 apoyos)
- Andadores
- Collarín cervical de distinta consistencia para mantener erguida la cabeza
- Silla de ruedas
- Sillones especiales articulados que incluso pueden ayudar a levantarse (sillón catapulta)
- Camas eléctricas que favorecen la respiración y facilitan la movilidad en la cama
- Grúas hidráulicas y/o eléctricas

COMUNICACIÓN

- Engrosador de bolígrafos que facilita la escritura
- Pasapáginas
- Tableros de comunicación adaptados a las necesidades de cada enfermo
- Amplificadores de voz que se utilizan cuando el problema predominante es la hipotonía
- Avisadores acústicos
- Comunicadores electrónicos que permiten la comunicación con ligeros movimientos de la persona (lightwriter)
- Programas de comunicación por el ordenador

- Ordenadores que funcionan con el movimiento de los ojos (Proyecto Iriscom)
- Grabadores que reproducen palabras o frases almacenadas

ADAPTACIÓN DEL ENTORNO

Es preferible que la vivienda sea accesible y que las instalaciones se vayan adaptando a sus necesidades. El baño es la habitación que más cambios requiere ya que tendrá que permitir el acceso de sillas especiales, la colocación de asideros, las duchas sin bordillos, etc. En el resto de la casa deberán eliminarse las barreras arquitectónicas así como muebles y accesorios innecesarios que dificulten la movilidad.

ESCLEROSIS MÚLTIPLE (EM)

DEFINICIÓN

Es una enfermedad crónica del sistema nervioso central (SNC) que afecta a la sustancia blanca (mielina) que recubre las fibras nerviosas de la médula espinal y del cerebro de forma intermitente. Allí, donde se destruye la mielina, aparecen las placas de tejido endurecido (esclerosis)- Consecuentemente, los impulsos nerviosos se interrumpen periódicamente o, en los casos más graves, de forma definitiva.

Su etiología es desconocida, en la que intervendría un agente ambiental no reconocido (probablemente un virus), sobre personas con determinada susceptibilidad genética que originaría la aparición de una respuesta inmune alterada dirigida contra la mielina. Por ello, se la incluye en el grupo de enfermedades autoinmunes.

CLÍNICA

La enfermedad puede manifestarse de manera:

- *aguda:* en poco tiempo aparecen lesiones focales en el SNC apareciendo síntomas como deficiencias en el campo visual, parestesias y debilidad de un miembro inferior.
- *subaguda:* afecta de forma lenta y progresiva a los miembros inferiores con debilidad y pérdida sensorial acompañados por una marcha espástica y atáxica. Las lesiones siguen desarrollándose en el tallo cerebral, afectándose nervios craneales, vías motoras, sensitivas, cerebelo…

Los síntomas son irregulares dependiendo de la zona del SNC afectada.

No existe ninguna EM típica, sin embargo, hay algunos síntomas que son comunes para muchas personas. Podemos distinguir tres tipos de síntomas en la EM:

1. Síntomas primarios como consecuencia directa de la destrucción de mielina: neurosis óptica (disminución de la agudeza visual, visión borrosa, déficit del campo visual, diplopía y nistagmus), parestesias (dolor o sensaciones anormales: entumecimiento, punzadas o sensación de hormigueo), debilidad de la musculatura de las extremidades (espasticidad y dificultades en la marcha), dificultades en la coordinación, temblores, dismetría,

alteraciones de la sensibilidad y del lenguaje, incontinencia, deterioro cognitivo y fatiga por actividades excesivas o sin origen.

2. Síntomas secundarios (complicación de los síntomas primarios): úlceras por presión, infecciones urinarias, déficit en el control de tronco y postural, desequilibrios posturales, disminución de la densidad ósea y problemas respiratorios

3. Síntomas terciarios: son complicaciones sociales, laborales y psicológicas que derivan de los síntomas primarios y secundarios (pérdida de trabajo o abandono de los estudios, afectación de las relaciones personales y síndrome depresivo).

DIAGNÓSTICO OCUPACIONAL

La planificación en la intervención de la EM ha de tener en cuenta que esta enfermedad afecta al bienestar y a la salud física, psíquica y social de la persona. Cuando se trata de una enfermedad progresiva quiere decir que las necesidades y prioridades del enfermo van cambiando y, por tanto, habrá que variar nuestra intervención. Independientemente de cómo abordemos terapéuticamente la enfermedad, habrá que satisfacer las necesidades del enfermo -actividades de autocuidado, trabajo y ocio-, sea cual sea el estadio de la enfermedad en que se encuentre.

En la valoración inicial utilizaremos pruebas estandatizadas o realizaremos una entrevista al enfermo donde nos pueda contar cuáles son sus miedos, problemas, intereses, etc.

Evaluaremos:

- Fuerza y tono muscular.
- Arco de movimiento articular.
- Sensibilidad.
- Campo visual.
- Deglución.
- Valoración cognitiva.
- Valoración funcional para las actividades de la vida diaria (AVD).
- Reacciones psicológicas.

TRATAMIENTO GENERAL

En la actualidad no existe un tratamiento curativo. Sin embargo, algunos fármacos han demostrado cierta eficacia logrando, en muchos casos, modificar el curso de la enfermedad, reduciendo el número de brotes y su severidad. Por otro lado, existen numerosas vías de investigación que ofrecen grandes expectativas hacia terapias combinadas que multipliquen la eficacia de los fármacos, por lo que el panorama terapéutico es ampliamente esperanzador.

El tratamiento rehabilitador, entendido como una atención integral, es de vital importancia para conservar las capacidades residuales del enfermo, así como para prevenir complicaciones secundarias.

TRATAMIENTO OCUPACIONAL

La EM es una patología que, por sus características, provoca una interrupción potencial de la ocupación de los afectados, por este motivo desde TO se pretende crear programas de prevención y rehabilitación de dichos afectados, con la meta principal de ayudar al paciente a lograr un equilibrio en las actividades significativas de su vida diaria.

Los objetivos a conseguir desde TO:

- Aumentar/mantener la movilidad, fuerza y resistencia de miembros superiores e inferiores.
- Reeducar simetría y equilibrio.
- Disminuir la espasticidad.
- Aumentar la motricidad gruesa y fina del lado afecto.
- Conseguir la máxima independencia posible en las actividades de la vida diaria (AVD).
- Mejorar la coordinación general y compensar dismetría.
- Cambiar dominancia (si es necesario).
- Realizar un programa de distribución de tiempo para evitar la fatiga.
- Mejorar la capacidad de comunicación.
- Aumentar la autoestima y sensación de utilidad.
- Adaptar el entorno y asesorar en el uso de ayudas técnicas.

Por las características de la enfermedad, el departamento de TO ofrece atención y tratamiento a personas con diferentes grados de discapacidad y en muy distintos estadios de la misma. Para ello, el tratamiento debe ser personalizado e ir cambiando conforme evoluciona la enfermedad.

En sesiones de <u>tratamiento individual</u> trabajamos para conseguir los objetivos específicos mediante actividades adaptadas según el estado funcional y la motivación del enfermo en cada estadio de la enfermedad.

Nuestra intervención como terapeutas ocupacionales va a ir tratar los siguientes aspectos:

Fatiga

Desde etapas muy precoces de la enfermedad puede presentarse el problema de la fatiga. Desde TO podemos ayudar al paciente a programar las actividades cotidianas, así como introducir las adaptaciones o ayudas técnicas adecuadas que consigan minimizar los aspectos invalidantes de este síntoma. En el mismo sentido, podemos asesorar acerca de las modificaciones más adecuadas en el domicilio que eviten accidentes y que faciliten la realización de las actividades de la vida diaria (AVD) de un modo seguro.

Alteraciones sensitivas

Otra serie de síntomas con los que podemos encontrarnos desde el diagnóstico de la enfermedad son las alteraciones sensitivas: texturas, temperaturas, etc. Podemos trabajar en el departamento de TO con actividades que permitan mejorar la competencia de los enfermos, así como compensar los déficits con modos alternativos de ejecutar la actividad.

Coordinación

También pueden aparecer alteraciones en la coordinación, que podemos trabajarlas en la sala de TO y extrapolarlas a la vida cotidiana y a las actividades del hogar. Estos síntomas pueden manifestarse como un leve temblor en el último tramo de movimiento. Alguna ayuda técnica en estos primeros momentos, así como el trabajo de estos aspectos dentro de actividades intencionales, puede ayudar a los pacientes.

Problemas cognitivos

La memoria puede haberse afectada, que se tengan más despistes. Un entrenamiento correcto sobre éste y otros procesos cognitivos puede ayudar a saber cómo mejorar el rendimiento intelectual.

Adaptaciones del hogar

El asesoramiento implica el conocimiento de la vivienda del enfermo y cuáles son los puntos negros para poder llevar a cabo las modificaciones adecuadas en el momento idóneo.

> El tratamiento de grupo se lleva a cabo mediante sesiones de actividades recreativas y creativas, donde pretendemos reforzar los objetivos perseguidos en el tratamiento individual, así como la creación de un grupo más allá de las sesiones de rehabilitación.

Los ejercicios recomendados a los pacientes con ELA para mantener la fuerza, mejorar la coordinación y el equilibrio, y favorecer la deambulación, son aplicables a los pacientes con EM.

ACTIVIDADES DE LA VIDA DIARIA (AVD)

En lo que se refiere a la reeducación de las actividades de la vida diaria (AVD) y asesoramiento en ayudas técnicas, nos basaremos en si el enfermo vive solo o tiene la ayuda de su familia:

MOVILIDAD EN LA CAMA: es importante que el colchón sea firme para evitar hundirse, lo que dificulta la movilidad. El exceso de ropa (mantas, colchas, etc.) complica la realización de movimientos. Se recomienda la utilización de un edredón de plumas que, además de regular la temperatura corporal, pesa poco. Para acostarse, le enseñaremos al enfermo que debe sentarse al borde de la cama cerca del cabecero, de modo que, al tumbarse, la cabeza quede en una posición correcta sobre la almohada. Levantar las piernas, colocando la pierna afectada sobre la sana, para introducirlas en la cama. Se recomienda colocar un asidero que facilite la movilidad en la cama. Para levantarse, el enfermo debe hacerlo por el lado afectado. Partiendo de la posición de decúbito lateral, tiene que sacar los miembros inferiores de la cama, a la vez que se eleva el tronco, ayudándose del asidero.

DESPLAZAMIENTOS: se recomiendan bastones de altura regulable para los desplazamientos de interiores. Para tomar la medida del bastón de codo, el enfermo debe mantenerse erguido, con lo hombros relajados y la mano en la empuñadura. El bastón debe estar en una buena posición de apoyo (a unos 12-15 cm por fuera y por delante de la punta del pie). La medida correcta es cuando la mano se encuentra a la altura del trocánter mayor del fémur. Para los desplazamientos por exteriores se recomienda la utilización de una silla de ruedas eléctrica. Con ésta, el enfermo puede ser independiente y evitaremos que se fatigue realizando trayectos largos. Para que el enfermo compruebe los beneficios de este tipo de silla, se le puede prestar una durante un fin de semana. Dependiendo de las características antropométricas del enfermo, se le recomendará una silla de ruedas u otra.

ALIMENTACIÓN: el enfermo se debe colocar correctamente en la silla. Ésto, facilita la realización de movimientos y favorece una correcta deglución. Será necesario introducir patrones posturales normales para que los integre, de cara a la progresión de la enfermedad. Es importante que los cubiertos pesen poco porque son más fáciles de manejar. Para compensar la falta de apoyo de la mano afectada a la hora de comer se puede introducir el cuchillo Nelson (cubierto en el que han incluido el tenedor y el cuchillo) que permitirá al enfermo cortar y pinchar. Es recomendable utilizar un mantel antideslizante y cercos para platos de modo que evitemos que la comida salga fuera.

ASEO PERSONAL: se realizan en sedestación para minimizar la fatiga. Para economiza la energía, se enseña al enfermo a colocar los miembros superiores sobre el lavabo para lavarse las manos y la cara, para maquillarse o afeitarse (con maquinilla eléctrica). Para cortarse las uñas, desde el departamento de TO se puede adaptar el cortaúñas o comprar una ayuda técnica dirigida a este fin.

VESTIDO: el enfermo se vestirá en sedestación en una silla o al borde de la cama (siempre que el colchón sea firme) para evitar la fatiga. Le enseñamos a vestirse/desvestirse con el miembro superior sano, utilizando el afectado como apoyo en algunas tareas. Es conveniente utilizar ropa amplia, sin botones ni cremalleras (utilizar velcros o un abotonador). Para calzarse y descalzarse utilizará un descalzador de mango largo. Se recomienda utilizar unos zapatos de tipo mocasín. Para facilitar la tarea de atarse los cordones de las zapatillas deportivas o de zapatos con cordones, se puede sustituir la cordonera normal por una cordonera elástica, de forma que el nudo y el lazo estén siempre hechos y no sea necesario el hacerlo y deshacerlo cada vez que se coloca este calzado. Para ayudar a quitarse los calcetines, pantalones y calzoncillos e utilizará un dispositivo con gancho y mango largo con el que empujar las prendas. Cuando el enfermo es capaz de ser independiente para el vestido/desvestido, se comenzará a realizar una secuenciación de las tareas más complejas: coger la ropa del armario, prepararla sobre una silla o la cama a su alcance y colocarla según el orden correcto. Es necesario realizar los movimientos mínimos para evitar la fatiga. Por ejemplo, al cruzar la pierna para introducir la pernera del pantalón, aprovechará para colocar el calcetín y el zapato. De este modo, evitaremos que tenga que elevar la pierna varias veces.

UTILIZACIÓN DEL INODORO: el acceso al inodoro se facilita colocando un alza de inodoro con patas para que pueda utilizar el papel higiénico sin necesidad de levantarse. A ambos lados del inodoro se deben situar dos asideros que permitan el apoyo alternativo en ambos lados para, una vez sentado, pueda bajarse la ropa tirando de un lado y de otro hasta conseguirlo, al igual que subirla una vez terminado el uso del inodoro.

HIGIENE CORPORAL: es recomendable cambiar la bañera por la ducha. Si hay ducha, colocar una silla de ducha y asideros. Si hay bañera en el cuarto de baño, se recomienda una silla giratoria que permita al enfermo introducirse en la bañera y estar sentado durante la higiene y la colocación de un asidero que le facilite el agarre para moverse. Los asientos para la ducha y la bañera tienen que estar preparados para soportar el peso del enfermo. Se utilizarán esponjas de mango largo para acceder a la espalda y a los pies y dosificadores de jabón. Para el secado del cuerpo, se puede usar un albornoz en lugar de la toalla (evitar fatiga). Al igual que con el vestido, una vez que el enfermo ha controlado su higiene, se realiza una secuenciación de tareas para realizarla: preparar la ropa que se va a poner tras la ducha, preparar los utensilios que va a utilizar (jabones, esponjas, albornoz, etc.), graduar la temperatura del agua, recoger la ropa sucia y dejar limpio el cuarto de baño.

COMUNICACIÓN: el logopeda es quien tratará los problemas del lenguaje. En TO debemos potenciar una buena comunicación verbal y animar a que el paciente con EM:

- Respire antes de empezar a hablar, haciendo una pausa en cada palabra o cada pocas palabras. Así compensará la pérdida de control de la musculatura fonatoria.
- Exagere la pronunciación de las palabras.

- Exprese las ideas de forma escueta, empleando frases concisas.
- Se tome el tiempo necesario para organizar los pensamientos y lo que se va a decir.
- Mire al interlocutor, lo que facilita la comunicación para ambos.
- Para la comunicación escrita, enseñamos al enfermo la escritura con la mano hábil (cambio de dominancia si es necesario).

Las ayudas técnicas aconsejadas a los pacientes con EM son similares a las explicadas para la ELA.

ADAPTACIÓN DEL ENTORNO

Será necesario adaptar el acceso a la vivienda con una rampa exterior. El excesivo peso de la puerta exterior se puede suavizar eliminando los muelles que favorecen su cierre.

En el cuarto de baño, el pavimento debe ser antideslizante y conservar esta propiedad es estado mojado y seco. Será necesario eliminar el bidé, si existiera, para obtener mayor espacio y eliminar la bañera realizando una zona de ducha. Colocar asideros junto al inodoro, lavabo y ducha.

Debido al alto coste de las ayudas técnicas y de las reformas para adaptar el entorno, al realizar un asesoramiento hay que tener en cuenta la progresión de la enfermedad e ir un poco más allá, pensando en el avance de la sintomatología y no en las condiciones actuales del enfermo.

ENFERMEDAD DE PARKINSON (EP)

DEFINICIÓN

Es una alteración degenerativa, lenta y progresiva del SNC, que causa una pérdida de las neuronas de la sustancia negra y de otros ganglios basales, resultando en una pérdida en la transmisión de dopamina.

Aparece, por lo general, a partir de 40 años y es más frecuente en varones.

CLÍNICA

Los síntomas se caracterizan por temblor en reposo, rigidez, bradicinesia (enlentecimiento del movimiento), transtornos del equilibrio y la postura, acinesia (dificultad para iniciar el movimiento), discinesia (movimientos involuntarios relacionados con la medicación), dificultades en la escritura (micrografía) e hiponimia (disminución de la expresividad de la cara). La rigidez se presenta en miembros superiores e inferiores y cuello. El temblor disminuye durante el movimiento voluntario y aumenta durante el sueño, con la fatiga y con las emociones.

El lenguaje oral y la comunicación también se verán afectados: el paciente con EP habla excesivamente rápido, sin modulación y sin control respiratorio. La comunicación se hace monótona, hay falta de mímica y gestos.

La escritura también se encuentra alterada en la EP; sus características son:

- Deformación en la base de la letra.
- Pérdida de altura de las letras.
- Letra ilegible.
- Escritura temblorosa.
- Lentitud al escribir.
- Aumento/disminución de la prensión sobre el bolígrafo y sobre la hoja.
- Acúmulo de tinta en los bucles de las letras.

DIAGNÓSTICO OCUPACIONAL

Valoraremos las diferentes actividades afectadas y las que aún conserva pero que resultan difíciles de ejecutar; así como los cambios producidos en su aspecto físico. Esta evaluación se realiza mediante la observación del rendimiento de la persona así como de forma reglada mediante escalas estandarizadas.

El terapeuta ocupacional debe conocer qué actividades realiza el enfermo a lo largo del día, al igual que los miedos y esperanzas del enfermo y de su familia.

TRATAMIENTO GENERAL

El tratamiento se basa en medidas de tipo físico, apoyo psicológico, terapia farmacológica y apoyo y reeducación ocupacional.

Las medidas físicas tienen como objetivo mejorar la actividad, disminuir la incapacidad y mantener una independencia que permitan al enfermo continuar su vida social.

El apoyo psicológico, dada su importancia, no debe descuidarse en ningún momento. La intervención abarca aspectos como: a) la explicación real pero optimista del proceso al enfermo y a su familia, teniendo cuidado de no generar falsas esperanzas en ellos; b) apoyar al paciente en cada logro que obtenga, haciéndole notar las mejorías y avances obtenidos con la reeducación activa; y c) el apoyo a la familia, en relación principalmente a la comprensión de la enfermedad y su repercusión en el enfermo y cómo afrontar las dificultades cotidianas.

El tratamiento farmacológico ha de ser individualizado, realizado siempre por un especialista. Últimamente ha habido un gran avance en esta área.

TRATAMIENTO OCUPACIONAL

Los objetivos de la TO en la EP:

- El objetivo general de la TO es mantener la máxima independencia del paciente en la realización de las actividades de la vida diaria (AVD), es decir, que el enfermo sea capaz de valerse por si mismo, de ser productivo y disfrutar del ocio.

- Los objetivos específicos son:

   1. Mantener la máxima independencia en las actividades funcionales para prevenir limitaciones articulares debido a la rigidez o el temblor.
   2. Mantener el movimiento articular y prevenir contracturas musculares.

3. Estimular el aumento de velocidad y la coordinación de los movimientos.
4. Adaptar los objetos de uso cotidiano cuando sea necesario.
5. Asesorar, orientar y entrenar sobre las ayudas técnicas cuando sea necesario.
6. Favorecer la realización de movimientos amplios y rítmicos.
7. Mantener las capacidades que aún conserva.
8. Mejorar y/o mantener la destreza y habilidades manuales.
9. Mejorar y/o mantener las habilidades cognitivas.
10. Entrenar y/o adaptar la comunicación escrita.

Algunos ejercicios para mantener la coordinación motora fina, destreza, prensiones y agarres de los miembros superiores que se recomiendan para pacientes con EP son:

- HACER COLLARES CON PASTA: Sentado delante de una mesa, hacer un collar macarrones. Para ello, usar un cordel de lana fina o un hilo doble de un metro de largo, en uno de los extremos pasar un macarrón y anudar el cordel, de tal forma que haga de tope y el resto de macarrones que se vayan metiendo por el otro extremo del cordel no salgan. Cuando se haya montado el collar, desmontarlo sacando los macarrones con la mano contraria a la que se utilizó para hacer el collar.

- GARBANZOS: dentro de un plato, colocar medio paquete de garbanzos secos. La actividad consiste en sacar los garbanzos del plato, de uno en uno, haciendo oposición de dedos, es decir, con el dedo pulgar y alternando con el resto. Hay que repetir este ejercicio hasta sacar todos los garbanzos. Cuando los garbanzos estén fuera del plato, ponerlos de nuevo en el plato de la siguiente forma: coger el mayor número de garbanzos que pueda con los dedos y almacenarlos dentro de la palma de la mano. Cuando ya no quepan más, abrir la mano y soltar los garbanzos dentro del plato.

- PLASTILINA: sentarse delante de la mesa:
1. Amasar con la mano derecha la plastilina.
2. Con la mano derecha hacer un "churro" de unos 60 cm. A su vez, con los dedos de la mano izquierda pellizcar todo el "churro" de plastilina (usando el dedo pulgar, el índice y el corazón). Después, volver a realizar el ejercicio cambiando las manos.
3. Partir la plastilina por la mitad. Con una mitad hacer 4 trozos pequeños de plastilina, y utilizando sólo los dedos de la mano derecha, hacer una bolita con cada trozo, de esta manera obtendrá 4 bolitas. Repetir lo mismo cambiando de mano y así sucesivamente, alternando las manos hasta que se acabe la plastilina.

Existen ejercicios para mantener la <u>coordinación motora gruesa de los miembros superiores</u> y son los siguientes:

- DIBUJAR VOCALES EN EL AIRE: colocarse de pie (si se siente inseguro, colocar una silla delante y agarrar el respaldo con la mano que no esté usando). Con la mano libre, dibujar en el aire las cinco vocales, se deben dibujar levantando todo lo que se pueda el brazo, de esta manera nos aseguramos de que se está trabajando la articulación del hombro. Cuando lo haya realizado con una mano, cambiar y hacerlo con la otra.
- LIMPIAR LA MESA: colocarse sentado, con la espalda recta delante de una mesa,
  en una mano tendremos un trapo:
  1. Tener el codo en flexión, la mano sobre la mesa sujetando el trapo. El ejercicio consiste en extender el codo de tal manera que llevaremos la mano hacia delante y después hacia atrás, doblando otra vez el codo. Esto lo repetiremos 10 veces con cada mano.
  2. Continuamos sentados delante de la mesa y con un trapo en la mano, esta vez, el brazo lo tenemos colocado en extensión tocando el borde de la mesa y lo que haremos será mover el brazo dibujando un semicírculo. Siempre el brazo está en máxima tensión y se mueve por encima de la mesa. Repetimos el ejercicio 10 veces con cada brazo.
- HACER CANASTA: como su propio nombre indica, lo que se pretende con este ejercicio es simular que estamos encestando.

Para ello, debemos comenzar el ejercicio de pie, a no ser que el enfermo tenga dificultad para hacer el ejercicio y prefiera hacerlo sentado. Colocar en el suelo una caja de cartón (o cualquier recipiente que pueda servir de canasta) a 3 m de distancia (entre la caja y el enfermo). Con una pelota (puede ser de cualquier tamaño y material), intentar encestarla dentro de la caja. Realizar 10 tiros con cada mano. A continuación, manteniendo siempre la misma distancia, colocar la caja encima de una silla y volver a lanzar 10 tiros con cada mano. Por último, realizar otros 10 tiros con cada mano, esta vez, con la caja colocada encima de la mesa. De esta forma, se ensayará la puntería con diferentes alturas.

- ACTIVIDADES DE LA VIDA COTIDIANA: en el día a día, se realizan muchas tareas que implican movimientos que precisan de coordinación motora gruesa. Así, otra forma de trabajarla es realizando tareas habituales son: vestirse, asearse, poner la mesa, tender la ropa…También son igual de recomendables todas las actividades relacionadas con el ocio, como bailar, pescar, nadar, jugar a los bolos, a la petanca, hacer barbacoas, etc.

ACTIVIDADES DE LA VIDA DIARIA (AVD)

Como los pacientes con EP presentan transtornos de la coordinación motora fina, destreza, prensiones y agarres, se dan una serie de recomendaciones para poder realizar las actividades de la vida diaria (AVD) que precisen de esta coordinación motora fina:

1.- Actividades de automantenimiento

VESTIDO

- Sustituir los botones por velcros
- Sustituir los botones de las mangas por gomas elásticas
- Usar *panties* y no medias
- Colocar anillas en las cremalleras
- Usar ropa ancha
- Faldas con cintura elástica
- Calzarse con la ayuda de un calzador de mango largo o apoyar el pie sobre un banquillo

HIGIENE PERSONAL

- Usar máquina eléctrica para el afeitado
- Uso de mangos engrosados en los peines, en la brocha para maquillarse…

HIGIENE ORAL

- Uso de cepillo eléctrico
- Uso de pasta dentífrica con tapón abre fácil
- Uso de pinza especial para apretar el tubo de la pasta dentífrica

BAÑO/DUCHA

- Uso de esponja con mango largo
- Uso de dosificador para el jabón
- Uso de albornoz para facilitar el secado de la espalda

HIGIENE WC

- Usar compresas especiales para la incontinencia

ALIMENTACIÓN

- Usar cubiertos de mango ancho y ligeros
- Usar vasos con asas
- Usar "pajita" para las bebidas
- Usar cubiertos y platos de plástico
- Uso de abridores eléctricos para las latas
- Abridores fáciles para los envases de cristal
- Comprar tetrabriks con abre fácil

MEDICACIÓN

- Uso de pastilleros de fácil dosificación

COMUNICACIÓN FUNCIONAL

- Ordenador o uso de máquina de escribir
- Engrosador para el bolígrafo y otros objetos
- Escribir en mayúsculas

MOVILIDAD FUNCIONAL (transportar objetos pesados o voluminosos)

- Usar carro con ruedas

2.- Actividades de productividad

CUIDADO DE LA ROPA

- Uso de pinzas de fácil manejo para tender la ropa (que sean largas y no cueste abrirlas)
- Mejor tender en un tendedero desplegable que en cuerdas
- Pedir ayuda cuando sea dificultoso realizar la tarea

LIMPIEZA

- Usar aspiradora en vez de barrer
- Utilizar lavaplatos

PREPARACIÓN DE LA COMIDA

- Utilizar abridor de latas automático
- Usar cuchillo eléctrico
- Utilizar batidora
- Usar exprimidor eléctrico
- Usar comida congelada ya procesada y cocinada

HACER LA COMPRA

- Pagar con tarjeta (cuando cuesta mucho coger las monedas con los dedos)

- Usar un carro doméstico de la compra para colocar dentro la compra
- Pedir que nos lleven la compra a casa
- Hacer la compra acompañados y pedir ayuda cuando sea preciso
- Hacer la compra por Internet

ACTIVIDAD LABORAL (según el tipo de trabajo, implicará ciertos movimientos que precisan de una coordinación motriz fina y destreza)

- Sustituir por maquinaria eléctrica lo que nos sea posible dentro de nuestro trabajo
- Usar ordenador o máquina de escribir eléctrica

3.- Actividades de ocio

- Dependiendo de cual sea la afición, se podrá adaptar de distintas formas, por ejemplo, si le gusta leer, podrá usar un atril para que le sea más cómodo

Algunas estrategias para potenciar las habilidades que más se ven afectadas durante la enfermedad con el fin de mantener el máximo tiempo posible la autonomía del paciente son:

1.- Actividades de automantenimiento

VESTIDO

- Preparar previamente la ropa

- Colocar la ropa en el orden en que va a ponérsela
- Vestirse sentado en una silla estable (evitar perder el equilibrio)
- Recitar en voz alta los sucesivos pasos mientras se va colocando las prendas (siempre se empezará a vestir por el lado que más cuesta)
- Es recomendable usar zapatos sin cordones o bien usar cordones elásticos (éstos permiten calzarse sin desabrocharlos)
- Para poner calcetines o medias, apoyar el pie en una banqueta baja

BAÑO

- Para facilitar el lavarse las manos, los dientes, la cara, maquillarse o el afeitado, colocar un taburete frente al lavabo. Así, podrá apoyar los brazos evitando el cansancio
- Para afeitarse es mejor usar máquina eléctrica de afeitado
- Para cepillarse los dientes se precisa de movimientos repetitivos, como cuesta mucho realizarlo, es mejor utilizar un cepillo eléctrico
- Usar un albornoz
- Para impedir las caídas es aconsejable colocar una alfombra antideslizante en el suelo de la bañera o de la ducha

ALIMENTACIÓN

- Apoyar los brazos encima de la mesa, sentarse de forma adecuada, con la espalda recta
- Usar cubiertos ligeros

- Usar vasos con asas para facilitar el agarre
- Utilizar un tejido antideslizante o una bayeta húmeda debajo del plato en el caso de que se mueva al cortar los alimentos
- Si hay dificultad para llevarse el vaso a la boca, utilizar una paja flexible
- Usar vasos y platos irrompibles

MOVILIDAD FUNCIONAL

- Uso de cama con un somier y colchón duro para evitar hundirse en él y debido a ello dificultar la movilidad en la cama
- La altura de la cama debe ser de 80 cm
- Dormir en una cama de tamaño pequeño, facilita la movilidad y los giros
- Utilizar sábanas o pijama de raso, seda o satén, al ser tejidos resbalosos le permitirán moverse con más facilidad
- Usar un nórdico o edredón en lugar de mantas, ya que pesan menos
- Sentarse en sillas altas con apoyabazos
- El sofá debe ser alto y duro para facilitar el sentarse y levantarse
- Para sentarse en una silla de forma segura, hay que seguir los siguientes pasos:
  1. Colocarse de espaldas a la silla
  2. Retroceder hasta que se toque con las zonas traseras de las dos rodillas el borde de la silla
  3. Inclinarse hacia delante y con las manos buscar y agarrarse a los apoyabazos de la silla

4. Terminar de inclinar la espalda y simultáneamente doblar las rodillas, hasta sentarse en ella

MOVILIDAD EN LA CALLE

Transporte privado

- Conducir en fase *on*
- Pensar en todos los movimientos que hay que realizar e ir con cuidado
- Realizar cursos de conducción (para refrescar habilidades)
- Utilizar un coche con dirección asistida
- Utilizar un coche con cambio de marchas automático
- Se pueden usar las zonas de aparcamiento especial
- Aceptar el momento que sea necesario dejar de conducir

Transporte público

- Evitar las horas punta
- Usar transportes especiales
- Tener en cuenta los accesos de las estaciones y de los propios transportes
- No dudar en pedir ayuda siempre que sea necesario
- Ir sentado para evitar caídas
- Si se es usuario del autobús público, usar tarjeta-bono, o bien llevar un monedero con el dinero justo para pagar, ya que es difícil coger las monedas del monedero

2.- Actividades de productividad

CUIDADO DE LA ROPA (seleccionar, lavar, tender, recoger, doblar, planchar, guardar…)

- Realizar estas actividades sentado y pedir ayuda si es necesario

LIMPIEZA

- Realizar estas actividades descansando cuando se sienta cansado. Cuando sea difícil realizarlas, pedir ayuda

PREPARAR LA COMIDA

- Los enfermos se pueden ayudar con ayudas técnicas para la comida, reorganizar la comida de tal forma que los utensilios más usados estén lugares de fácil acceso. Usar electrodomésticos que nos faciliten cocinar

HACER LA COMPRA

- Usar un carro para transportar la compra

MANTENIMIENTO DE LA CASA

- Realizar estas actividades, descansando cuando se sienta cansado

TRABAJO FUERA DE CASA

- Utilizar ayudas técnicas si es necesario, para adaptar las tareas que implica el trabajo

3.- Actividades de ocio (ser capaz de realizar todos los movimientos necesarios para poder llevar a cabo las actividades en nuestro tiempo libre)

- Detenernos siempre que estemos cansados al realizar cualquier actividad, sobre todo las que implican esfuerzo
- Intentar no dejar de realizar las actividades de ocio por las dificultades para ejecutarlas. El terapeuta ocupacional adaptará la actividad a las posibilidades del enfermo

En la vida cotidiana se realizan constantemente actividades que precisan de la coordinación de las dos manos, como por ejemplo: colocarse un abrigo, abrir una botella, doblar la ropa, lavar los platos, secarse con la toalla después de asearse, colocarse unos pendientes, pelar fruta y/ verdura, cortar la carne, etc. Por ello, las propias actividades cotidianas sirven para potenciar al mantenimiento de esta coordinación.

Algunos <u>ejercicios para mantener la coordinación de las dos manos</u>:

- COLLAR DE CLIPS: sentado delante de una mesa, usar clips de escritorio para hacer una cadena de clips, entrelazando uno con otro. Realizar la cadena con los clips de una caja de 50 piezas. Cuando esté acabada, la desmontará.

- HACER NUDOS: para este ejercicio se necesitará una cuerda de cordel de 1.5 m. Empezar el ejercicio sosteniendo la cuerda por uno de los dos extremos y hacer nudos simples (que no estén muy duros ya que después deberá desatarlos) lo más cerca el uno del otro, hasta completar toda la cuerda. Finalmente, desatar todos los nudos.

Los ejercicios anteriormente explicados anteriormente, de coordinación motora gruesa, fina, destreza, prensiones y agarres, también ayudan a mantener las habilidades necesarias para poder escribir. Algunos ejercicios para mantener la escritura son:

- REDACCIÓN DE UN TEMA LIBRE: hacer una redacción sobre qué se ha hecho el fin de semana.
- ESCRIBIR UN DIARIO: cada día escribir en forma de redacción o pensamientos sueltos las percepciones, pensamientos o sentimientos.
- COPIAR UN POEMA.
- HACER LA LISTA DE LA COMPRA.

Cada persona que escriba según su costumbre.

Es fundamental mantener la autonomía en cada momento. La vida debe reorganizarse para que puedan continuarse la mayor cantidad de actividades, aficiones e intereses, según los deseos del paciente. Con frecuencia será necesario endentecer el ritmo de vida del enfermo y que todos se adapten.

El terapeuta ocupacional asesorará desde su experiencia pero serán el enfermo y su familia los que decidan la solución más adecuada para ellos.

Cuando el enfermo comienza a tener limitaciones que dificultan el poder realizar algunas actividades de la vida diaria (AVD), hay que saber que a veces sólo es necesario cambiar la forma de hacer la actividad y también que en el mercado existe una gran variedad de ayudas técnicas diseñadas para ayudar y facilitar su realización.

Clases de Productos de Apoyo (PA)

1.- Actividades de autocuidado

- *PA en el vestido:*

  - Usar calzador de mango largo
  - Usar calzador con ayuda para colocar calcetín y medias
  - Usar abotonador
  - Usar pinzas

- *PA para el baño y la higiene:*

  - Esponja con mango
  - Cepillo con mango
  - Engrosadores para mangos

- Tijeras para las uñas
- Adaptación para los grifos
- Elevador de inodoro
- Barra
- Tabla de bañera
- Asiento giratorio
- Sillas de ducha y WC

- *PA para la alimentación*

- Abre tapones antideslizante
- Utensilios para la alimentación
- Cuchillo-tenedor (cuchillo Nelson)
- Cubiertos con velcro
- Cubiertos flexibles
- Tabla para la preparación de los alimentos
- Reborde para platos
- Engrosador para cubiertos
- Tapete antideslizante
- Mango para abrir botones del gas

- *PA para la medicación*

- Partidor y triturador de pastillas
- Pastillero

- *PA para la comunicación funcional*

- Uso de ordenador
- Uso de máquina de escribir eléctrica
- Sistema de comunicadores aumentativos
- Llamadores

- Ayuda para teclear
- Bolígrafos engrosados

• *PA para la movilidad funcional*

- Andador con ruedas
- Andador con asiento y cesta
- Andador
- Muletas diversas
- Bastón plegable
- Grúas
- Tablas de transferencia
- Disco giratorio
- Somier y colchón duros
- Triángulo
- Escalera

2.- Actividades de productividad

• *PA para el cuidado de la ropa*

- Enhebrador de agujas de coser
- Tijeras

• *PA para la preparación de la comida*

- Abre tapones antideslizante
- Tabla para la preparación de los alimentos
- Engrosador para mangos
- Tapete antideslizante
- Mango para abrir tapones de gas

3.- Actividades de ocio

- *PA para el ocio*

- Atriles para la lectura
- Atriles para otras actividades
- Lupa
- Pasapáginas

Existen muchas más productos de apoyo, muy específicos, con el objetivo de facilitar la realización de las diversas tareas. El terapeuta ocupacional es el profesional encargado de realizar un buen asesoramiento y entrenamiento de las mismos.

ADAPTACIÓN DEL ENTORNO

Algunas recomendaciones que el enfermo tiene que seguir dentro de su domicilio son:

- Eliminar todos los peligros.
- Eliminar los obstáculos de las zonas transitables.
- Retirar las alfombras o fijarlas bien al suelo.
- Fijar los muebles.
- Buena iluminación.
- Retirar los cables eléctricos del suelo.
- Colocar pasamanos en las escaleras.
- Lavadora de carga frontal para no cargar con el peso de la ropa mojada; es mejor sentarse delante de la lavadora para cargarla y descargarla.

- Para el transporte de ropa mojada hay que utilizar un barreño con ruedas, de esta forma no cargamos con el peso de la ropa.

BIBLIOGRAFÍA

Polonio López B. *Terapia ocupacional en discapacitados físicos*. Madrid: Médica Panamericana, 2003.

Kandel E; Schwartz J; Jessell T. *Principios de neurociencia*. 4ª ed. Madrid: Mcgraw-Hill Interamericana, 2000.

Turner A; Foster M; Johnson S. *Terapia ocupacional y disfunción física*. Madrid: Elsevier Churchill-Livingstone, 2003.

Asif Kamal. *Ictus atlas de enfermedad vascular cerebral y su tratamiento*. Madrid: Idepsa, 1987.

Bobath B. *Hemiplejía del adulto: evaluación y tratamiento*. 3ª ed. Buenos Aires: Médica Panamericana, 1999.

Brunnstrom S. *Reeducación motora en la hemiplejía*. Barcelona: Jims, 1978.

Chapinal Jiménez A. *Involuciones en el anciano y otras disfunciones de origen neurológico*. Barcelona: Masson, 1999.

Davies P. *Pasos a seguir*. 2ª ed. Madrid: Médica Panamericana, 2002.

EMC. Kinesiterapia. *Medicina física. Rehabilitación en los casos de traumatismos craneales*. 26-461-A-10. Ed. Elsevier España.

Fundación Mapfre Medicina. *Daño cerebral traumático, neuropsicología y calidad de vida*. Madrid: Mapfre S.A, 1995.

González Mas R. *Rehabilitación Médica.* Barcelona: Masson, 1997.

Grieve J. *Neuropsicología para terapia ocupacional.* Madrid: Médica Panamericana, 1994.

Hopkins HL; Smith HD. *Terapia ocupacional (Willard/Spackman).* 8ª ed. Madrid: Médica Panamericana, 1998.

Miangolarra JC; Alguacil IM; Águila AM. *Rehabilitación clínica integral.* Barcelona: Masson, 2003.

Paeth B. *Experiencias con el concepto Bobath.* Madrid: Panamericana, 2001.

Perfetti C. *El ejercicio terapéutico cognoscitivo para la reeducación motora del hemipléjico adulto.* Barcelona: Edika, 1999.

Trombly CA. *Terapia ocupacional para enfermos incapacitados físicamente.* México: La Prensa Mexicana, 1990.

Willard H; Spackman C. *Terapéutica ocupacional.* Barcelona: Jims, 1973.

Durante Molina P; Pedro Tarrés P. *Terapia Ocupacional en Geriatría: Principios y Práctica.* 2ª ed. Barcelona: Masson, 2004.

Burgo del G. *Rehabilitación de problemas de deglución en pacientes con daño cerebral sobrevenido.* Madrid: Eos, 2004.

Holthoefer Margalef A; Bayés Rusiñol À. *Consejos para las actividades de la vida diaria de pacientes con Enfermedad de Parkinson.* Unidad de Parkinson Centro Médico Teknon. Barcelona.

Vallès E; Bayés À. *Consejos sobre una correcta comunicación para pacientes con Enfermedad de Parkinson.* Unidad de Parkinson Centro Médico Teknon. Barcelona.

Manual de cuidados para personas afectadas de Esclerosis Lateral Amiotrófica (ELA). Asociación Española de Esclerosis Lateral Amiotrófica (ADELA).

Revista Aragón Múltiple. Nº 1. Fundación Asociación Aragonesa de Esclerosis Múltiple. 2003.

Conferencia Mundial de Terapia Física, OMS 1996, Federación Mundial de Terapeutas ocupacionales: *"Fomentando la independencia después de una lesión medular. Manual para rehabilitadores de nivel medio*. Documento traducido por la Asociación Profesional española de Terapeutas Ocupacionales. APETO, Madrid.

PATOLOGÍAS NEUROPSIQUIÁTRICAS

SÍNDROME NEURODEGENERATIVO

DEFINICIÓN

Las demencias son enfermedades cada vez más frecuentes. El incremento de esta incidencia está en relación directa con un progresivo envejecimiento de la población. Es la enfermedad degenerativa por antonomasia.

Hay unas características comunes a las demencias más frecuentes:

- Enfermedades de larga duración.
- Afectan al área tanto psicológica como a la función física de la persona.
- Pérdida global de autonomía personal generando una gran dependencia.
- Evolución progresiva y los síntomas varían durante las distintas fases.

Las demencias son enfermedades fundamentalmente de la inteligencia. Esta función condicionará el deterioro del resto de las funciones superiores que afectará a la vida relacional de la persona. Se trata de procesos adquiridos.

CLÍNICA

Durante el curso evolutivo, aparecen las siguientes circunstancias:

- Alteración del pensamiento abstracto.
- Pérdida de la capacidad de juicio.
- Cambios de personalidad.
- Síndrome afaso-apráxico-agnósico.

La demencia senil es un síndrome, no una enfermedad concreta.

Según su etiología, se clasifican:

1. Demencias psiquiátricas: Son conocidas con el nombre de pseudodemencias. La más frecuente es la asociada a la depresión y a la esquizofrenia.
2. Demencias de causa tóxica: procesos asociados al alcoholismo y al consumo de fármacos. La mayoría de los casos son reversibles.
3. Demencias de causa metabólica: pueden originar una pérdida de las funciones superiores: diabetes, hipotiroidismo, deshidratación...
4. Demencias de causa mecánica: cualquier agresión física al cerebro pueden lesionarlo y producir un cuadro demencial: practicantes de boxeo, TCE, tumores cerebrales, hidrocefalea...
5. Demencias carenciales: asociadas a un déficit de vitamina B12 y ácido fólico.
6. Demencias de causa infecciosa: sífilis (ahora raro) y SIDA.
7. Demencias vasculares (DMI): alteración de las arterias que irrigan al cerebro. Se observan zonas cerebrales infartadas dando lugar a una progresiva demenciación.
8. Demencias degenerativas: atrofias e involución patológica del SNC. Son las más frecuentes. El 75% de los casos corresponde a la Demencia tipo Alzheimer (DTA). Otros

procesos son la Enfermedad de Pick y la Demencia asociada a algunos casos de Enfermedad de Parkinson.

Por ejemplo, la evolución de la DTA es la siguiente:

En estadios iniciales, el enfermo refiere síntomas inespecíficos: cefaleas, molestias difusas...Progresivo desinterés por las aficiones habituales que traduce la dificultad de levarlas a cabo correctamente. Aparecen cambios de carácter y aumento de la irritabilidad, disminución de la autoestima, frecuentes periodos de tristeza y otros síntomas depresivos. El enfermo tiene dificultad para llevar una vida social autónoma.

Conforme progresa la enfermedad, aparecen dificultades en las actividades de la vida diaria instrumentales (manejo del dinero, visitas al médico, actividades domésticas, uso de medios de transporte, planificación de viajes...). El enfermo se encuentra cada vez más desorientado en el espacio y en el tiempo. Tiene dificultades para reconocer a personas conocidas (amigos, vecinos) y olvidará el nombre de las cosas.

En fases iniciales, disminuye la memoria reciente, la capacidad de aprendizaje y en fases avanzadas se pierde la memoria de evocación.

En etapas intermedias, aumenta progresivamente la dependencia para las actividades de la vida diaria básicas. Son frecuentes los transtornos comportamentales. Aparecen transtornos en el equilibrio y en la marcha. La pérdida de memoria es severa: incapacidad para reconocer a sus familiares más cercanos. Desorientación muy grave (se pierden en su propio domicilio).

En los estadios más avanzados, el enfermo ni habla ni entiende lo que se le dice.

La situación terminal es anquilosis en flexión, encamamiento y afasia.

Al final, mueren por alguna complicación secundaria a esta situación.

DIAGNÓSTICO OCUPACIONAL

El terapeuta ocupacional deberá identificar las capacidades y las limitaciones funcionales del enfermo: qué funciones no están afectadas y cuáles son deficitarias con relación a los problemas que presente para realizar sus actividades ocupacionales. Igualmente, deberá identificar los factores ambientales que deben ser modificados para facilitar su participación satisfactoria en actividades que apoyen los papeles sociales deseados.

TRATAMIENTO GENERAL

En las enfermedades neurodegenerativas no existe un tratamiento específico eficaz para revertir los síntomas o para su evolución. Sin embargo, se dispone de algún fármaco capaz de actuar sobre algunas funciones cerebrales, especialmente, en las primeras fases, pero durante escaso tiempo.

Las estrategias terapéuticas se dirigen a la estimulación cognitiva y funcional encaminada a retardar la dependencia, así como el tratamiento de las complicaciones médicas y psiquiátricas. Es evidente que una enfermedad tan incapacitante como puede ser la DTA supone un impacto familiar grave con aparición de conflictos y necesidad de soporte. El entorno familiar también será un objetivo del tratamiento.

TRATAMIENTO OCUPACIONAL

El objetivo fundamental de la TO será el apoyar la ejecución de las actividades de acuerdo con los problemas que la persona presente en cada fase de la enfermedad.

Algunos de los muchos programas y técnicas que se llevan a cabo en TO y que van dirigidos a los enfermos con demencia son:

Programa de estimulación cognitiva
Se puede trabajar en sesiones individuales o grupales. Se utilizarán fichas cognitivas, dinámicas de grupo con preguntas intencionales, actividades con juegos educativos, actividades de orientación espacio-temporal, de esquema corporal, de atención y concentración, de memoria, de estimulación sensorial, conocimiento del dinero y su manejo, percepción de figuras o formas geométricas, colores y tamaños, praxis, conocimiento del medio, cálculo y actividades del lenguaje (leer, escribir, denominación...). Utilizar refuerzos verbales y el reto para aumentar la motivación.

Programa de psicomotricidad y ejercicio físico
Las técnicas van encaminadas a desarrollar las facultades motrices, cognitivas y de relación a través del movimiento y del trabajo del cuerpo y mente conjuntamente.

Se incluyen sesiones divididas en dos partes:

- Gerontogimnasia: movilizar todas las articulaciones del cuerpo en su máximo recorrido y en todas sus posibilidades de movimiento.
- Trabajo de alguna capacidad psicomotriz concreta (ritmo, esquema corporal...).

Programa de terapia recreativa

Las actividades encuadradas dentro de este programa pueden ser muy variadas, utilizándose muchas técnicas. Lo más importante es que la actividad planteada cree interés y que se realice en grupo (en la mayoría de los casos). Collares de bolitas, recortes, collages, figuras de plastilina o arcilla blanca, puzzles, encastrables, papiroflexia, frascos de sal, pompones para hacer muñecos, flores de papel, marcos para fotografías (de pasta, de palillos, de pinzas...), telares, cestería, marquetería, pintura, costura, tarjetas de felicitación, servilleteros...

Programa de terapia funcional

Se trabajarán principalmente las actividades de la vida diaria básicas e instrumentales para incrementar la autonomía personal del enfermo durante el mayor tiempo posible. Estas actividades se pueden trabajar en grupo o en sesión individual. Se centrarán en los aspectos físicos de la persona e irán dirigidas a mantener la funcionalidad de las distintas áreas del cuerpo.

Se emplean tableros de AVD, tornillos y tuercas, masas terapéuticas de distintas resistencias, bandas elásticas…

Programa de terapia lúdica o ludoterapia

Tener en cuenta los intereses del paciente. Se desarrollará en un contexto grupal con el fin de asegurar el contacto social: juegos y dinámicas de grupo (bingo, cartas, dominó, parchís, oca, diana, bolos…); celebración de fiestas anuales (locales y nacionales); excursiones y salidas al exterior.

Programa de musicoterapia

Las técnicas que se utilizan son las receptivas (escucha musical) y las activas (cantar, canciones con movimiento, tocar instrumentos…).

Programa de reminiscencia

Utiliza las técnicas de la comunicación y la socialización para abordar esa parte de la memoria de evocación (recuerdos de épocas pasadas y hechos antiguos) que se encuentra intacta en las fases leves-moderadas de la enfermedad. Se provoca la evocación de recuerdos mediante música, fotos, olores, sabores, objetos, texturas, conversaciones sobre la infancia…

Estas actividades también pueden realizarse en los hogares teniendo en cuenta que los recursos con los que cuenta el enfermo en su casa son menores.

ACTIVIDADES DE LA VIDA DIARIA (AVD)

Las actividades se analizan para adaptarlas a las necesidades de las personas dentro de su rutina diaria, intereses e interacciones sociales. También se adaptará el entorno para posibilitar al enfermo la realización de sus actividades de la vida diaria (AVD).

Aseo

Uno de los síntomas que acompañan el inicio de esta enfermedad son los cambios drásticos que se producen en el aseo diario del paciente: los enfermos abandonan el hábito de la higiene personal, no se quieren asear, peinar o cambiarse regularmente de ropa. Es recomendable reorientar esta actitud mediante técnicas que le conduzcan sin darse cuenta a realizar aquello que en un principio no quería hacer, por ejemplo, diciéndole que lo puede hacer por si sólo y que lo hace muy bien; que está mucho más guapo aseado, etc. Estas técnicas hay que utilizarlas todos los días para restablecer el hábito.

Será más útil la ducha que la bañera; colocar alfombrillas dentro y fuera de la ducha; colocar barras asideras; no tiene que hacer frío en el cuarto de baño; deberá asearse a la misma hora y que no haya ruidos molestos mientras se asea; si olvida la manera de asearse, hay que explicárselo para mantener su independencia durante el mayor tiempo posible; secar bien la piel para evitar llagas posteriores; afeitarse con la misma asiduidad de siempre; colocar un alza de inodoro; en los estadios más avanzados será el cuidador el encargado de realizar la higiene la cual se hará en la cama y por la mañana (colocar una sábana plastificada que impida que se humedezca la sábana).

Vestido

El enfermo tiene que ir con ropa cómoda, sin extravagancias producto de su descoordinación, sin encorsetamientos, vistiéndolo según su condición y edad.

En las mujeres se debe obviar el tacón alto para evitar el riesgo de lesiones. Los zapatos deberán tener suela antideslizante.

Alimentación

En fases iniciales de la enfermedad, no será necesaria una atención esmerada al paciente. Es útil recordar al enfermo lo que vamos a hacer cuando nos sentamos en la mesa: "ahora vamos a comer" o "vamos a cenar". También es aconsejable que la vajilla sea irrompible.

En la fase moderada de la enfermedad, el enfermo con Demencia puede rechazar las comidas, por ello, será necesario hacer comidas más sabrosas y variadas. Si el cuidador advierte que hay dificultades para tragar los alimentos con consistencia normal, le dispondrá de comida con textura más blanda (pasta, carne, croquetas, empanadillas, etc).

En fases moderadas-graves, la alteración de la deglución es más patente. Las comidas se presentarán en forma de purés introduciendo carnes, pescados o huevos. Conforme la enfermedad progresa se hará necesario alimentar al enfermo por sonda nasogástrica, o incluso practicarle una ostomía para poder alimentarle.

Incontinencia de esfínteres

En fases avanzadas, el enfermo pierde la autónoma contención de los esfínteres urinario y fecal, primero de uno y luego de otro, o quizás de los dos al mismo tiempo. Por ello, es recomendable llevar al enfermo cada 2 horas a orinar. A veces, es necesario utilizar pañales en esta fase. Si el problema de incontinencia es fecal, se debe acostumbrar al enfermo a ir al servicio a una hora concreta del día (mejor a primera hora de la mañana, o si no da resultado se volverá a repetir después de comer).

Ejercicio físico

Si el ejercicio físico es importante a cualquier edad por los beneficios que comporta para la salud física y psíquica de las personas, en el tratamiento de esta enfermedad es indispensable.

En las fases iniciales de la enfermedad, cuando la movilización todavía es autónoma, los ejercicios más recomendables (que deberá hacer siempre acompañado) son: montar en bicicleta, jugar a la petanca, nadar o simplemente caminar alrededor de dos horas por la mañana y dos horas por la tarde, sin prisas, evitando grandes esfuerzos, aprovechando para reconocer lo que se está viendo o lo que está haciendo o para comunicarse con otras personas, etc.

ADAPTACIÓN DEL ENTORNO

La vivienda debe cumplir una serie de condiciones para poder vivir en ella la mayor parte del tiempo que dure la enfermedad, toda si es posible.

Se debe evaluar de una forma sensata y comedida cuál es el lugar o lugares donde el paciente pasa la mayor parte del tiempo para adaptarlos a las necesidades presentes y futuras:

- Se suprimirán las alfombras.
- La iluminación artificial ha de proporcionarse por toda la habitación.
- Evitar tener cordones de luz por el suelo con el fin de evitar caídas.
- Los objetos decorativos han de ser limitados al máximo, sobre todo las mesitas auxiliares que pueden obstaculizar el paso del paciente.
- Hay que procurarle sobre todo comodidad. Situarle su sillón preferido en el lugar en el que el enfermo está más a gusto.
- Los cuadros donde aparecen muchas figuras o personajes pueden desorientarle al no reconocer las caras.
- Suprimir los espejos ya que pueden crearle confusión al no reconocerse en ellos.
- En las etapas en las que comienza a desorientarse en su propio domicilio, hay que ponerle carteles con colores muy llamativos en los que se dé información acerca de la dirección a seguir para ir a la cocina, al dormitorio, etc. En las puertas se colocarán carteles con el nombre o con la foto de la habitación.

- Colocar barandillas en el pasillo para que se pueda sujetar cuando camina.
- Colocar un calendario de grandes dimensiones o un reloj grande de fondo blanco y números grandes y en negro (cerca de donde come) para facilitar su orientación en el tiempo.
- Instalar una luz permanente durante toda la noche en el dormitorio, a nivel del suelo, para evitar caídas si se levanta por la noche.
- La lámpara de la mesilla debe estar fijada a la pared para evitar que la tire por la noche.
- Es conveniente que los armarios donde se guardan utensilios o productos peligrosos, documentos o ropa de otras temporadas estén cerrados con llave y ésta guardarla en un lugar seguro.
- Colocar cerraduras a las que el enfermo no pueda tener acceso en los lugares que puedan resultar peligrosos para él: la puerta de la calle, la cocina, el balcón de las casa altas, etc.
- Hay que plantearse cambiar el gas por la electricidad para cocinar.
- En fases avanzadas, se puede plantear el comprar una cama articulada para facilitar la movilización del enfermo, evitar úlceras de decúbito, etc.

AUTISMO INFANTIL (AI)

DEFINICIÓN

Por un lado, encontramos el autismo puro o de Kanner y por otro lado, el síndrome autista o rasgos autistas, que son síntomas secundarios a lesiones cerebrales, enfermedades cromosómicas o encefalopatías precoces.

El término Autismo fue utilizado por primera vea por Bleuler en el año 1911, como un síntoma propio de la esquizofrenia, indicando la vuelta hacia si mismo del paciente y su alejamiento de la realidad.

CLÍNICA

Según autores, el autismo es un transtorno innato que le impide establecer contactos afectivos. Otros autores señalan el medio ambiente que rodea al niño desde el primer momento de su desarrollo. Para Bender, hay un detenimiento en el desarrollo del SNC del niño. Otros, señalan que existe un componente hereditario puesto que se ha comprobado una mayor carga de esquizofrenia entre los parientes de los niños autistas. Más recientemente se han introducido nuevas teorías que tratan de explicar la etiología de estas enfermedades, de base orgánica, como la perturbación del metabolismo de las aminas cerebrales.

En definitiva, se trata de un transtorno profundo del desarrollo de la persona. Los síntomas más característicos son:

- Falta de respuesta ante los estímulos que parten de otras personas.

- Falta de desarrollo de las habilidades para la comunicación verbal y no verbal.
- Reacciones extrañas ante estímulos procedentes de su medio.
- Inicio del transtorno antes de los 30 meses.

DIAGNÓSTICO OCUPACIONAL

Ante un caso de autismo infantil lo que debe hacer un terapeuta ocupacional es siempre llevar al niño a desempeñar lo más funcionalmente posible sus roles ocupacionales; ¿cuáles son los roles ocupacionales del niño?, principalmente autocuidado, estudio y juego.

Se debe realizar una estimulación multisensorial que ayude a establecer un vínculo terapéutico y a tener una base para, posteriormente, trabajar la motricidad -básica, gruesa y fina-; cognición; comunicación; interacción social y actividades de la vida diaria (AVD).

TRATAMIENTO GENERAL

El principal objetivo del tratamiento consiste en ofrecer la rehabilitación integral del niño, por lo que será atendido por profesionales de distintas disciplinas que deberán trabajar de manera interdisciplinaria.

El objetivo principal de tratamiento es que los niños que presentan transtornos en su desarrollo reciban todo lo que necesiten tanto a nivel preventivo como asistencial con el fin de potenciar su capacidad de desarrollo y bienestar, posibilitando su integración en el medio familiar, escolar y social, así como su autonomía personal.

Los objetivos específicos son los siguientes:

- Reducir los efectos del déficit sobre el conjunto global del desarrollo del niño.
- Optimizar el curso del desarrollo del niño.
- Introducir mecanismos de compensación, eliminación de barreras y adaptación de las necesidades específicas.
- Evitar o reducir la aparición de déficits secundarios.
- Atender y cubrir las necesidades de la familia y el entorno en el que vive el niño.
- Considerar al niño como un sujeto activo de la intevención.

TRATAMIENTO OCUPACIONAL

El niño con un **cuadro clásico de autismo infantil** presenta una grave dificultad para la interacción social que puede deberse a la ausencia de capacidad para el juego o a la imposibilidad para la imitación.

El enfoque inicial de tratamiento en TO es el siguiente:

1. Utilización de medios u objetos como intermediarios: se utiliza el medio acuático para producir estimulaciones indirectas sobre el niño mediante la provocación de oleaje. Usar pompas de jabón como medio indirecto de comunicación. Luego pasamos a lanzar suavemente globos o balones para provocar la reactividad del niño. Es importante usar estos objetos como intermediarios para el

establecimiento de relaciones sociales. También se pueden utilizar como intermediarios ositos de peluche y muñecos.

2. Utilización del ritmo como conductor del movimiento: en el autismo la actividad rítmica está conservada en mayor o menor medida. Usar el ritmo como inductor del movimiento, realizando un determinado movimiento siguiendo el ritmo, permite segmentar y automatizar el movimiento de nuestro cuerpo y diferenciarlo de los demás objetos y personas. Facilita la imitación de los gestos (tan difícil sin el apoyo rítmico) y posteriormente la utilización del gesto para la representación (juego representativo de animales, personas, hábitos y roles).

3. Progresión de las actividades según su significado profundo: en casos con poca respuesta social sustituiremos las actividades orales (chupeteo, succión, aspiración de líquidos, soplo para hinchar globos o tocar instrumentos musicales) por las actividades anales: actividades que supongan el contacto con sustancias inocuas que impregnen las manos del niño (barro, harina…); pintar con los dedos (papel, madera…) y realizar pequeñas construcciones (apilamiento de cubos, tablillas…). Nuestro máximo objetivo es que estas construcciones se realizasen por imitación y se introdujese poco a poco el juego representativo.

En los **cuadros clínicos menores o síndromes autistas**, aparece un fracaso en la comunicación (no tiene qué decir, no tiene motivación), en la imaginación y en la socialización (en ocasiones, únicamente son capaces de relacionarse en situaciones familiares). Todo ello, se debe al fracaso de la capacidad para pensar sobre los pensamientos y de imaginar el estado mental de otras personas. Algunos aspectos a trabajar son:

1. Actividades ocupacionales: se realizan actividades con poco nivel de comunicación, tales como producciones musicales; producción de series memorizadas; dibujos artísticos y cálculos matemáticos. Puede aprender a expresar sus necesidades y a prever la conducta de los demás si el comportamiento de los que le rodean está controlado de manera evidente por factores externos y observables y no por estados mentales. Prefieren un ambiente estructurado, sin cambios, y el mantenimiento de las rutinas diarias sin modificaciones (respeto de horarios y trayectos). Tiene dificultad para admitir en su espacio vital a desconocidos.

2. Control del ambiente: se introducirán mínimos cambios de uno o dos elementos para evitar el rechazo del niño por lo novedoso; tienen preferencia por lo conocido y por la realización de rutinas aprendidas. Poco a poco se irán aprendiendo hábitos cada vez más complejos mediante pequeñas modificaciones que se irán introduciendo en el espacio vital del niño. El inicio de este establecimiento de la comunicación se hará con personas conocidas y cuando se cambie de medio humano habrá un periodo de acostumbramiento. En el lenguaje que se emplee se evitarán frases pasivas, oraciones compuestas o frases disyuntivas.

3. Relaciones interpersonales: el primer eslabón para la comunicación con los otros son las vías de comunicación no verbal, especialmente el tacto. Para establecer posteriores interpersonales, podemos aplicar el llamado "objeto transicional" (Winnicott): es frecuente ver al niño de 4 a 12 meses, con un desarrollo normal, aficionarse por un objeto particular que chupa, abraza y lo necesita para dormirse. Este objeto se conserva durante bastante tiempo y después vuelve a aparecer en situaciones de miedo, ansiedad…; es la primera posesión de algo que no es el "yo" y que posee un valor afectivo para el niño. El establecimiento de este objeto en el niño autista puede ser el puente necesario para unas posteriores relaciones interpersonales.

La introducción del juego representativo, a partir del juego funcional, permite la empatía, la capacidad de colocarse en la posición "del otro"; algo fundamental para el inicio y el desarrollo de las relaciones interpersonales.

Estas actividades pueden ser aplicadas en los hogares como parte del tratamiento integral del niño.

Como en todas las enfermedades crónicas, es fundamental la cooperación entre los profesionales y el entorno familiar de los enfermos.

ACTIVIDADES DE LA VIDA DIARIA (AVD)

Para llevar a cabo las actividades de autocuidado, de juego y de ocio, aunque sea mínimamente, es necesario que los niños autistas realicen un aprendizaje cuyos principios básicos son:

- **Los padres son lo principal para el niño y su mejor estimulación.**
- **Respetar el ritmo evolutivo y las características del niño.**
- **Conocer y respetar los intereses:** realizar actividades que coincidan con sus preferencias; si los juguetes o los intereses son difíciles de identificar es necesario introducir cambios de juegos y de materiales para favorecer su aumento o su aparición; a veces un ligero cambio en la expresión del niño nos da la pauta.
- **Buscar el éxito:** juegos adaptados a sus posibilidades y graduación progresiva en dificultad; el éxito da lugar a la motivación y aumenta el interés.
- **Favorecer la autoestima:** si durante el juego se obtiene un resultado deseado, hay satisfacción y, por lo tanto, mejora el autoconcepto; el niño se anima a continuar; el terapeuta ocupacional valora los esfuerzos del niño, por pequeños que sean.
- **Seguir su iniciativa.**
- **Partir de lo que el niño puede realizar:** observar lo que hace y cómo lo hace para posteriormente realizar aprendizajes nuevos.
- **Refuerzos:** palabras, gestos de aprobación, etc.
- **La voz:** suave y pausada ya que es una forma de suavizar y contener.
- **Proporcionar todas las ayudas necesarias:** ayudas físicas, indicaciones verbales, a través del gesto, de las imágenes. El gesto es fundamental cuando hay problemas de comunicación y comprensión; utilizando gesto y palabra es más claro el mensaje. El uso de imágenes de

objetos o de acciones facilita realizar o anticipar peticiones.

Las estrategias de aprendizaje a seguir son las siguientes:

- **Espera estructurada:** introducir pausas en los juegos para favorecer la aparición de conductas de comunicación.
- **Repetición:** tanto de conducta, sonidos o palabras es indispensable para adquirir y afianzar aprendizajes.
- **Pedir ayuda:** cogiendo con la mano, señalando con el dedo, gesto de ayuda o verbalmente, uso de la mirada.
- **Ensayo y error:** si el niño no comprende evitaremos que tenga fallos.
- **Finalizar las tareas:** ayudarle en la rápida finalización de las tareas cuando el niño está cansado, no está motivado, antes de que se desanime, etc.

ADAPTACIÓN DEL ENTORNO

La familia y personas próximas al niño (entorno social) deben estar perfectamente informados sobre la naturaleza de la enfermedad.

Mantener un ambiente relajado y tranquilo donde el niño se sienta cómodo. Establecer rutinas que eviten sobresaltos.

El apoyo a la familia, por parte del profesional, tiene que adaptarse a las características culturales e individuales y a los diferentes estadios de la historia natural de la enfermedad. Debe ser continuo y sensible y no sólo cuando se da una situación de emergencia.

Las medidas de apoyo familiar deben proporcionar soporte moral y disminuir el estrés.

Tiene que tener la oportunidad de expresar sus sentimientos.

Es necesario que haya transferencia de conocimientos desde y hacia la familia.

Los hermanos tienen que estar informados sobre la enfermedad para conocerla y ser conscientes de la situación.

PSICOSIS (P)

DEFINICIÓN

Se trata de una enfermedad que se caracteriza por la pérdida de contacto con la realidad y por la alteración de los vínculos con los demás.

Etiología

- Factores genéticos (predisposición genética).
- Factores psicológicos.
- Factores sociales (ambiente que rodea al individuo).
- Factor desencadenante.

CLÍNICA

- P. afectiva: en ella se suceden episodios de euforia intercalados con episodios de tristeza.
- P. alcohólica: debida al alcoholismo crónico. Se caracteriza por confusión, desorientación, amnesia y alucinaciones.

- P. alucinatoria aguda o delirante aguda: caracterizada por la aprición repentina de un delirio transitorio, múltipley variado.
- P. alucinatoria crónica: caracterizada por delirios crónicos.
- P. confusional: caracterizada por alteración de la conciencia, desorientación temporoespacial y delirios.
- P. esquizofrénica: transtorno marcado por una afección grave del pensamiento, las emociones y la conducta.
- P. infantil: término que incluye las psicosis de aparición precoz en la infancia, como el autismo infantil o la esquizofrenia infantil.
- P. idiofrénica u orgánica: debida a una lesión cerebral.
- P. reactiva: desencadenada por circunstancias vitales o ambientales traumáticas.
- P. tóxica: debida a sustancias tóxicas, como el uso de drogas: cocaína, marihuana, heroína, anfetaminas, etc.

Los principales síntomas son:

- Alteración afectiva: las relaciones con otras personas, familia o no, se ven alteradas.
- Alteraciones en la capacidad intelectual: transtornos en el juicio crítico, del pensamiento, etc.
- Alteraciones en la percepción de la realidad: el enfermo puede sufrir alteraciones.
- Alteraciones de la actividad física: el paciente puede tener su capacidad motora disminuida, los movimientos serán torpes y no podrán realizarse actividades que requieran destreza y coordinación.

DIAGNÓSTICO OCUPACIONAL

Para elaborar el diagnóstico ocupacional se debe realizar una evaluación ocupacional exhaustiva mediante la recogida de datos con la finalidad de conocer lo que el paciente realiza, las destrezas que utiliza en la actividad y el conjunto de sus motivaciones.

Además, el diagnóstico ocupacional incluirá todas aquellas deficiencias, discapacidades y/o minusvalías que el enfermo presente en su historia clínica y que dificulten la ejecución de la ocupación así como los posibles entornos afectados.

Hay que realizar este diagnóstico una vez revisada la totalidad del enfermo y de su entorno.

TRATAMIENTO GENERAL

Ante cualquier síntoma es importante consultar al médico, de forma especial al psiquiatra.

El tratamiento de la psicosis se basa en:

- Tratamiento farmacológico: consiste en la prescripción de medicamentos -antidepresivos, sedantes- que ayudan a superar el problema.

- Psicoterapia: tratamiento fundamentado en la entrevista y el diálogo con un psiquiatra o psicólogo. Se tratarán los problemas de naturaleza mental (traumas, frustraciones, etc.) que pueden ser la causa del comportamiento anormal del enfermo y se intentará solucionarlos con o sin la ayuda de un tratamiento farmacológico.

Los cuidados a estos enfermos pasan por un tratamiento comprensivo del paciente y un apoyo, por parte de las instituciones sanitarias, al enfermo y a sus familiares.

TRATAMIENTO OCUPACIONAL

El terapeuta ocupacional formará parte del equipo multidisciplinar (EMD) aportando su visión al resto de los profesionales del equipo. El terapeuta ocupacional está especialmente formado para evaluar y tratar las dificultades de funcionamiento a nivel ocupacional, es decir, las actividades de la vida diaria (AVD); las actividades de ocio y las actividades laborales.

Se debe evaluar e intevenir en los Centros de Salud Mental y en los diferentes recursos comunitarios tanto públicos como privados en los que se traten este tipo de patologías.

Es importante:

- Tener en cuenta los deseos y prioridades de los enfermos con los que trabajamos.
- Efectuar actividades creativas, expresivas, manuales, artesanales, laborales, corporales, deportivas, lúdicas, recreativas, educativas, de sostén, etc. siguiendo la conducta uniforme del equipo multidisciplinar (EMD) que lidere el psiquiatra/psicólogo.

ACTIVIDADES DE LA VIDA DIARIA (AVD) Y ADAPTACIÓN DEL ENTORNO

A la hora de trabajar las actividades de la vida diaria (AVD) se tendrán en cuenta las características de los pacientes tratados.

El objetivo fundamental pasa por orientar al paciente a una realidad de la que se le ha apartado. La ocupación en tareas como la pintura, las manualidades, etc. le sumergerán en el hoy de él mismo, apreciando cómo se construye aquello que él ha planificado, de forma objetiva.

También en TO se insistirá en:

- Adquisición de destrezas asociadas al desempeño de las actividades de la vida diaria (AVD) básicas -higiene, aseo, alimentación, vestido, medicación, etc.- que posibiliten la vida independiente del enfermo en la comunidad y que por la enfermedad le había apartado.
- Entrenamiento y adquisición de las habilidades sociales que mejoren las relaciones interpersonales del paciente en la comunidad.
- Diseño progresivo y realización de actividades corporales, artísticas, lúdicas, deportivas, etc. que favorezcan la organización y el disfrute del tiempo libre y de ocio en el seno de la comunidad.
- Asesoramiento vocacional y entrenamiento en destrezas laborales y prelaborales que favorezcan la consecución de un puesto de trabajo, y así, favorecer la permanencia y la participación activa de la persona con enfermedad mental.

Cuando el paciente viva en su domicilio privado, pueden realizarse visitas a domicilio para asesorar al paciente en el mantenimiento y cuidado del hogar, así como para la realización de adaptaciones, modificaciones en el desempeño de las actividades (establecimiento de prioridades, calendario de actividades, descomponer las actividades en pequeños pasos, etc., ayudando al paciente para finalizar las tareas o reforzándolo cuando dichas actividades se realicen con éxito) y provisión de ayudas técnicas cuando sean necesarias (no se debe olvidar que el trabajo en la comunidad, la edad de los pacientes y sus necesidades pueden ser muy variadas).

Es útil la necesaria coordinación con los trabajadores sociales para la provisión de asistencia domiciliaria (para la preparación de la comida o la movilidad) u otros recursos disponibles.

RETRASO INTELECTUAL (RI)

DEFINICIÓN

La deficiencia mental constituye un complejo conjunto de síndromes cuyo común denominador es el retraso intelectual.

Se considera que existe retraso mental cuando la capacidad intelectual de la persona se encuentra muy por debajo del promedio (su C.I. estaría por debajo de 70 en una prueba psicométrica estandarizada). Además de ello, tienen que existir deficiencias en su capacidad adaptativa, con rendimiento por debajo de lo esperado para un niño de su edad y mismo grupo cultural. Las habilidades sociales, capacidad de comunicación, habilidades para resolver problemas cotidianos, autonomía personal, etc., se encuentran por debajo de su edad. Otro requisito es que esta deficiencia se haya generado en edades tempranas, no muy alejadas del nacimiento.

Es uno de los problemas sociales importantes en nuestro país. El número de personas en España con retraso intelectual se acerca a los 500.000, siendo más frecuente en la zona rural. Es frecuente que los casos de retraso intelectual leve no se detecten hasta la edad escolar.

CLÍNICA

Existen cuatro niveles de retraso mental:

- Leve: de 50-55 a 70.
- Moderado: de 35-40 a 50-55.
- Grave: de 20-25 a 35-40.
- Profundo: por debajo de 20-25.

Su *etiología* puede ser endógena-genética y exógena.

Etiología endógena-genética

- Alteraciones cromosómicas: la más características es la trisomía del par 21 que va a dar lugar al síndrome de Down. Las alteraciones en los cromosomas sexuales, en algunos casos, presentan deficiencia intelectual como ocurre en el síndrome de Turner y en el síndrome de Klinefelter.
- Alteraciones genéticas: son determinadas por mutaciones genéticas.

Etiología exógena

Las causas pueden incidir antes del nacimiento, durante el parto o después de él.

Es habitual que la deficiencia mental se acompañe de síntomas clínicos, que no se deben a la propia deficiencia sino a la reacción de la persona ante el ambiente que le rodea. Podremos observar alteraciones conductuales (con niños hiperactivos o con niños demasiados pasivos); síntomas psicosomáticos; perturbaciones del sueño; inadaptación familiar o social; fobias diversas; etc. También pueden aparecer síntomas psicóticos en las oligofrenias - aislamiento, manifestaciones agresivas, soliloquios, lenguaje repetitivo y, en los csos más graves, autismo- pero dichos síntomas serán breves y de tipo reactivo.

DIAGNÓSTICO OCUPACIONAL

La evaluación ocupacional se realiza mediante fuentes indirectas a la TO -historia, informes, familiares, integrantes del equipo multidisciplinar (EMD)- y/o fuentes directas propias de la TO, las cuales identificarán las necesidades del deficiente mental y el grado de intervención de la TO -herramientas observacionales, listados y cuestionarios de autoevaluación y entrevistas-.

TRATAMIENTO GENERAL

El tratamiento se llevará a cabo por un equipo multidisciplinar (EMD) integrado por profesionales cualificados para poder ofrecer una atención integral a la persona que sufre una deficiencia mental.

Actualmente para las deficiencias mentales se emplea el diagnóstico precoz, a poder ser, prenatal, y la prevención. La prevención tendrá dos vertientes:

- Individual: supervisando a los futuros padres y al niño desde el momento de su concepción.
- Social: proporcionando a la población las mejores condiciones de vida, en cuanto a asistencia médica, nutrición, inmunizaciones y riqueza cultural.

TRATAMIENTO OCUPACIONAL

El retraso mental leve se considera educable. Pueden aprender habilidades de tipo social, escolar, de comunicación e incluso profesional. Puede adaptarse a vivir en su comunidad con una cierta independencia.

Las personas con retraso mental moderado pueden beneficiarse del aprendizaje de habilidades sociales, de entrenamiento profesional en tareas que no sean complicadas; tienen más dificultades para adquirir conocimientos escolares. De adultos pueden trabajar en talleres protegidos, necesitando supervisión en las actividades de la vida diaria (AVD).

Las personas con retraso mental grave apenas pueden obtener provecho de los aprendizajes escolares. Pueden recibir entrenamiento en los principales hábitos de cuidado personal (actividades de autocuidado). Pueden llegar a desarrollar tareas sencillas bajo intensa y continuada supervisión.

Las personas que sufren un retraso mental profundo muestran una capacidad mínima para el desarrollo motriz y la comunicación.

Requieren supervisión total, no tienen autonomía personal. Precisan de educación especializada y cuidados constantes.

Cuando sea posible, el tratamiento de TO se llevará a cabo en los ambientes típicos del enfermo.

ACTIVIDADES DE LA VIDA DIARIA (AVD) Y ADAPTACIÓN DEL ENTORNO

Entre las intervenciones que desarrolla el terapeuta ocupacional para favorecer la autonomía de la persona con deficiencia mental, podemos destacar:

- Planificar y ejecutar el programa dirigido a desarrollar, mantener, compensar y/o sustituir las capacidades y/o habilidades a un nivel suficiente de competencia que le permita lograr la máxima autonomía en las actividades cotidianas.
- Asesorar en las adaptaciones en aquellos aspectos relacionados con el desempeño ocupacional: adaptaciones y/o modificaciones del entorno y adaptación de materialesy utensilios.
- Diseñar actividades para el desarrollo de habilidades y destrezas motoras, de procesamiento, de comunicación e interacción.
- Valorar, prescribir, diseñar, adaptar, entrenar, asesorar y orientar en el uso de ayudas técnicas y en ortesis. Educación y entrenamiento de prótesis.
- Realizar las gestiones necesarias para la adquisición, conservación y/o control de ayudas técnicas y del material necesario para desarrollar los programas de TO.
- Planificación de programas de transición a la vida adulta.

- Planificación de programas orientados a la capacidad prelaboral.
- Asesorar en las adaptaciones y reformas necesarias para garantizar la accesibilidad tanto a su domicilio como en su interior, así como en otros entornos; estas adaptaciones se ajustarán a las características de cada enfermo.
- Asesorar a las familias.

IMPORTANTE: Ser entímico con estos pacientes es muy importante. Son extraordinariamente sensibles al cariño. Es por ello muy rentable compensarles con señas de afecto ante las actividades efectuadas correctamente (un abrazo).

BIBLIOGRAFÍA

Durante Molina P; Pedro tarrés P. *Terapia Ocupacional en Geriatría: Principios y Práctica.* 2ª ed. Barcelona: Masson, 2004.

Allen CK. *Occupational therapy for psychiatric diseases: measurement and managemenent of cognitive disability.* Boston: Little, Brown, 1985.

Allen CK. *Treatment plans in cognitive rehabilitation.* Occup Ther Pract 1989; 1, 1-8.

Batty J. *Alzheimer's center uses environment to bring life to clients.* OT week 1985; 15: 16-18.

Cacabelos R. *Avances en la Enfermedad de Alzheimer.* En: Jiménez Herrero F, Ed. Gerontología 93. Madrid CEA, 1991; 69-82.

Cid Sanz. *Algunos aspectos de la psicoterapia en personas de edad avanzada.* Rev. Psicot Psicos 1988; 17: 57-64.

Cid Sanz. *Demencias: encrucijada actual.* Schering IMC, 1991;3: 1-23.

Durante Molina; Hernendo Galiano AL. *Demencia senil: seguimiento de un programa de reeducación con pacientes institucionalizados.* Rev. Esp Geriatr Gerontol 1993; 28 (3): 154-164.

Durante Molina P; López Polonio B. *Centro de día psicogeriátrico: abordajes no farmacológicos. Intervención desde terapia ocupacional.* Rev Esp Geriatr Gerontol 1996; 31 (NM1): 51- 61.

Jiménez Herrero F. *Atención no farmacológica a los dementes seniles.* En: Jiménez Herrero F, de. Gerontología 93. Barcelona: Masson-Salvat Medicina, 1993; 39-57.

López Polonio B. *Adaptación de viviendas para personas mayores.* Madrid: Inserso.

Pascual y Barlés G. *Guía para el cuidador con demencia tipo Alzheimer.* Zaragoza: Los Sitios.

Bermejo J; Vega S; Oliet C. *Epidemiología de la enfermedad de Alzheimer. Situación al comienzo de una década.* EUR. J. Gerontol, 1992 (suppl.): 5-18.

Dias Domínguez M et als. *En casa tenemos un enfermo de Alzheimer.* Composición Raly, 1994.

Lobo A y cols. *Demencia y depresión en la población general geriátrica: El estudio Zaragoza.* Ed. Masson, 1997.

Martin M. et als. *Adaptación para nuestro medio de la Escala de Sobrecarga del Cuidador de Zarit.* Rev Gerontología, 1996; 6, 338-346.

Pascual G; Loren L. *Familia y Demencia senil.* Congreso Europeo de Gerontología. Libro de Comunicaciones y Ponencias. Madrid, 1991.

Pascual G. *Programa de actuación sobre el entorno (PAE) del demente a nivel domiciliario.* Libro de Comunicaciones y Ponencias del XX Congreso de la Sociedad Española de Geriatría y Gerontología. Santander, 1994.

American Occupational Therapy Association. *Occupational therapy services for Alzheimer's disease and related disorders.* American Journal of Occupational Therapy, 40 (12): 822-824.

Memoria y Envejecimiento. Qué es normal y lo que no lo es. Actividad formativa. Ibercaja. Huesca. 2008.

Gómez Tolón J; Salvanés Pérez R. Terapia Ocupacional en Psiquiatría. 1ª ed. Zaragoza: Mira, 2003.

Ajuriaguerra J; Bouvalot-Soubiran. *Indications et techniques de réeducation psycomotrice en psychiatrie infantile.* La psychiatrie de l'Enfant, 2, fasc. 2.

Bower TRG. *El desarrollo del niño pequeño.* Ed. Debate, 1979.

Brunet O; I Lezine. *El desarrollo psicológico de la primera infancia.* Ed. Pablo del Río, S.A, 1978.

Castilla del Pino C. *Introducción a la psiquiatría 2. Psiquiatría general. Psiquiatría clínica.* Madrid: Alianza Editorial, 1980.

Collaruso-Hammill. *Test de percepción visual no motriz.* Buenos Aires: Panamericana, 1980.

Comellas Mª J. *La psicomotricidad en preescolar.* Barcelona: Cea, 1984.

Defontaine J. *Manual de psicomotricidad y relajación.* Barcelona: Masson, 1982.

DSM-IVTR. Ed. Masson, 2002.

Durante Molina P; Noya Arnáiz B. *Terapia Ocupacional en Salud Mental: Principios y Práctica.* Barcelona: Masson, 1998.

Durante Molina P; Noya Arnáiz B; Moruno Miralles P. *Terapia Ocupacional en Salud Mental: 23 clasos clínicos comentados.* Barcelona: Masson, 2000.

Le Doux. *El cerebro emocional.* Barcelona: Planeta, 1999.

Macdonald EM. *Terapéutica ocupacional para niños y adolescentes con transtornos psicológicos,* en Macdonald (ed.), *Terapéutica ocupacional en rehabilitación.* Barcelona: Salvat; 391-414, 1972.

Rodríguez A. *Rehabilitación psicosocial de personas con transtornos mentales crónicos.* Madrid: Pirámide, 1997.

Salzer G. *La expresión corporal.* Barcelona: Herder, 1984.

Ajuriaguerra J; Marcelli GD. *Manual de psicopatología del niño.* Ed. Masson, 1987.

Belloch A; Sandin E; Ramos F. *Manual de psicopatología. Vols. I y II.* Ed. Macgraw-Hill, 1995.

Clasificación de los transtornos mentales y de comportamiento CIE-10. Ed. Panamericana, 2000.

Luciano MC. *Manual de psicología clínica de la infancia y adolescencia.* Valencia: Promolibro, 1996.

Mardomingo Mª J. *Psiquiatría del niño y del adolescente.* Madrid: Díaz Santos, S.A, 1994.

Edwards J; Mcgrory PD. *La intervención precoz en la Psicosis: Guía para la creación de servicios de intervención precoz en la psicosis.* Madrid: Fundación para la investigación y el tratamiento de la Esquizofrenia y otras Psicosis.

Rebolledo Moller S; Lobato Rodríguez JM. *Cómo afrontar la Esquizofrenia: Una guía para familiares, cuidadores y personas afectadas.* Madrid: Aula Médica.

Perona Garcelán S; Gallach Solano E; Vallina Fernández O; Santolaya Ochando F. *Tratamientos psicológicos y recursos utilizados en la Esquizofrenia: Guía breve para profesionales y familiares.* Colegio Oficial De Psicólogos de la Comunidad Valenciana.

Polonio López; Durante Molina P; Noya Arnáiz B. *Conceptos fundamentales de Terapia Ocupacional.* 1ª ed. Madrid: Médica Panamericana, 2001.

Terapia Ocupacional en Educación. Colegio Profesional de Terapeutas Ocupacionales de Navarra. 2006.

PATOLOGÍAS RESPIRATORIAS

ENFERMEDAD PULMONAR OBSTRUCTIVA CRÓNICA (EPOC)

DEFINICIÓN

Proceso caracterizado por la presencia de obstrucción al flujo aéreo debido a bronquitis crónica o a enfisema excluyéndose el asma bronquial.

La evolución clínica es insidiosa y progresiva, con fases donde los síntomas son escasos o nulos, seguidas de otras fases en que la sintomatología puede desarrollar una progresiva incapacidad funcional.

Es más frecuente a partir de los 60 años, sobre todo, en personas con hábito de fumar.

La supervivencia es baja y está relacionada con la edad, el grado de afectación pulmonar y la tolerancia al ejercicio.

CLÍNICA

La etiología de la EPOC está estrechamente relacionada con el hábito de fumar. La polución ambiental y laboral, la situación socioeconómica y la hiperreactividad bronquial también son factores de riesgo para sufrir una EPOC.

La depresión y la ansiedad, que también afectan a estos enfermos, empeoran el grado de aislamiento y la incapacidad física.

En la EPOC, la disnea es el síntoma principal llevando al enfermo a una incapacidad progresiva con pérdida de la movilidad, el trabajo, la autoestima y las relaciones sociales. Los enfermos gradualmente se adaptan a esta nueva situación disminuyendo su nivel de actividad. Hay una disminución importante de su capacidad funcional lo que implica una incapacidad para realizar las actividades de la vida diaria (AVD) lo que conlleva un empeoramiento de la calidad de vida de estos enfermos. El simple hecho de peinarse provoca cambios en el patrón ventilatorio del paciente con EPOC.

DIAGNÓSTICO OCUPACIONAL

El terapeuta ocupacional evaluará los signos y síntomas que presenta el enfermo así como su repercusión en las actividades de la vida diaria (AVD).

La evaluación comenzará con una primera entrevista durante la cual deben recogerse los datos para el posterior tratamiento; se incluirán los siguientes puntos:

- Limitaciones físicas y psicológicas: transtornos de la marcha, de miembros superiores, ansiedad, depresión, etc.
- Capacidad cognitiva: si aparece alteración de las funciones mentales superiores.
- Entorno familiar y social: nivel sociocultural, socioeconómico y soporte familiar con el que cuenta el paciente. Nos permite valorar los medios de los que dispone el paciente en su domicilio para realizar allí un

programa de actividades una vez concluido el periodo de entrenamiento en el hospital.

- Características del domicilio: si hay barreras arquitectónicas en la vivienda (internas o externas) que entorpezcan la movilidad.
- Motivación del paciente: es muy importante puesto que, si el paciente se niega o es pasivo, el tratamiento no dará los resultados esperados.

TRATAMIENTO GENERAL

Los programas de rehabilitación deben estar coordinados con el tratamiento farmacológico con el fin de mejorar la calidad de vida del paciente con EPOC. Los objetivos del programa de rehabilitación son:

- Controlar y aliviar tanto como sea posible los síntomas y las complicaciones del tratamiento pulmonar
- Enseñar al paciente a alcanzar la máxima capacidad funcional para llevar a cabo las actividades de la vida diaria (AVD).

Los componentes de la rehabilitación respiratoria habitual incluyen: educación, supresión del tabaco; nutrición; terapia física pulmonar; ejercicio físico; entrenamiento de la musculatura respiratoria; TO; rehabilitación psicosocial; y asistencia domiciliaria. Estos programas se realizan a través de los equipos multidisciplinares (EMD) formados por médico rehabilitador, enfermeras, terapeutas ocupacionales, fisioterapeutas, psicólogo, psiquiatra, dietista y trabajador social.

Sin embargo, a pesar de los beneficios demostrados tanto inmediatos como a largo plazo, los programas de rehabilitación pulmonar continúan sin se una terapéutica aplicada de forma regular.

TRATAMIENTO OCUPACIONAL

En líneas generales, la TO tiene como objetivo la independencia personal en las   actividades de la vida diaria (AVD) incluyendo técnicas de ahorro energético y de modificación así como el entrenamiento de los miembros superiores (reducir disnea). El terapeuta ocupacional debe enseñar al paciente a realizar sus actividades cotidianas con la menor disnea posible mediante control respiratorio, simplificación de actividades y el cambio de hábitos en el quehacer diario. La finalidad de estas técnicas es prevenir, disminuir y/o retrasar la incapacidad que la EPOC provoca.

Las actividades prescritas por el terapeuta ocupacional serán de tipo rítmico y repetitivo y se efectuarán aumentando el tiempo de trabajo, de forma lenta pero progresiva.
Actividades como el telar, la impresión o el trabajo con madera se utilizan para enseñar al paciente a respirar de forma coordinada al tiempo que realiza una actividad manual.

Las actividades irán dirigidas a aumentar la potencia muscular y mejorar la coordinación del cuerpo, potenciando la tolerancia al esfuerzo.

El tratamiento enseñará al enfermo a mantener una constante ventilación durante los episodios de la actividad: inhalación durante la parte relajada y exhalación durante el esfuerzo.

ACTIVIDADES DE LA VIDA DIARIA (AVD) Y ADAPTACIÓN DEL ENTORNO

Tras la observación "in situ" de la forma en que el enfermo realiza las actividades de autocuidado, el tratamiento se dirigirá a enseñar la nueva forma de moverse y respirar.

Primero, se le enseñará a reforzar el patrón de control en la respiración diafragmática (exhalar lentamente con los labios fruncidos como si fuera a silbar o soplar y expulsar el aire con una espiración prolongada). El paciente inspirará antes de iniciar las actividades y espirará mientras las realiza.

- HIGIENE: en sedestación y con los utensilios al alcance. Apoyar los miembros superiores en el lavabo, los grifos serán de fácil manipulación (monomandos), peines de mango largo, espejo inclinado unos 20° y regulable en altura. Colocar barras laterales o frontales. Las actividades se realizarán lentamente, descansando y realizando la respiración diafragmática.
- BAÑO: sedestación, barras para facilitar la actividad y dar seguridad al paciente, utensilios al alcance, termostatos que regulen la temperatura del agua y de la habitación, suelo antideslizante. Las actividades se llevarán a cabo lentamente y descansando.
- VESTIDO Y CALZADO: en sedestación para miembros superiores e inferiores. Se descansará entre prenda y prenda y según la disnea durante la colocación de la misma prenda. La ropa que va a utilizar para vestirse debe agruparse antes de hacer la actividad para evitar paseos innecesarios. La ropa tiene que ser ancha y adaptarse con gomas y velcro en vez de llevar corchetes o cremalleras. Al ponerse los calcetines, las medias o los zapatos, la extremidad inferior a vestir debe

descansar sobre el otro miembro inferior o sobre un taburete para no dificultar la respiración diafragmática. Usar calzador de mango largo; adaptación de tirantes mediante la cual conseguimos que al ponerse de pie el enfermo, los pantalones se coloquen en su sitio.

– TRANSFERENCIAS: facilitar la acción de levantarse y sentarse de la silla. La silla debe ser poco profunda, con una altura suficiente, respaldo y asiento firmes, apoyabrazos largos y los pies del enfermo deben reposar en el suelo con comodidad. Evitar usar sillas o sillones bajos, blandos, sin reposabrazos y con poca estabilidad. Si hay problemas con la disnea, utilizar una silla catapulta, un elevador de inodoro y elevar la cama (tacos).
– DEAMBULACIÓN: al paciente se le enseña a inspirar cuando está quieto y a espirar cuando ande. Cuando termine la espiración, parará y otra vez.

El terapeuta ocupacional también se encargará del tratamiento de las actividades de la vida diaria instrumentales -actividades más complejas que precisan de un mayor grado de independencia funcional por parte del enfermo y son, por ejemplo, actividades domésticas, uso de transporte público, control de la medicación, visitas al médico, planificación de viajes, manejo del dinero, etc.-.

Primero, se realizará una valoración para saber cómo efectúa el paciente estas actividades y el entorno donde las realiza.

Al igual que en las actividades de la vida diaria básicas, es fundamental el control respiratorio y la simplificación de tareas. Es muy importante el uso de ayudas técnicas y/o adaptaciones del entorno para realizar estas actividades con un menor gasto energético.

Cocinar y el conjunto de componentes de esta actividad se realizará, a poder ser, en sedestación. En la cocina, el paciente utilizará un asiento adaptado (móvil, giratorio, de altura regulable y estable), de forma que las extremidades superiores adopten una buena posición con respecto a los planos de trabajo. Los armarios deben estar ubicados a una altura adecuada para evitar posturas extremas y su interior diseñado de forma que facilite la accesibilidad a los objetos (estantes giratorios). El material de cocina (cazuelas, ollas, menaje en general, etc.) será ligero, manejable y que será mejor deslizarlo que cargar su peso.

En el mercado existe numeroso material para facilitar la preparación de los alimentos y economizar energía, tales como, picadoras, utensilios eléctricos para cortar, rallar, triturar, batir, abrir latas, etc., microondas que evitan actividades de manipulación y la posterior limpieza de parte del menaje, etc.
El carro con ruedas es una útil ayuda para transportar diferentes objetos reduciendo el número de desplazamientos y evitando la carga del peso.

Las lavadoras de carga frontal permiten introducir y sacar la ropa en sedestación, lo que simplifica la actividad y disminuye el gasto energético.

Se recomienda planchar en sedestación; utilizar planchas de poco peso.

Reglas para la simplificación de actividades

1. Las áreas de trabajo donde se realice la actividad deben estar organizadas.
2. Se adaptarán los planos de trabajo y se procurará que los objetos estén al alcance del paciente.
3. Si es posible, la actividad se realizará en sedestación.
4. Los movimientos impulsivos y vigorosos se transformarán en estudiados, lentos y armoniosos.
5. Se evitarán los movimientos que produzcan disnea.
6. En general, los movimientos deberán ser fluidos y suaves.
7. Se alternarán actividades pesadas con actividades ligeras.
8. Los periodos de actividad equilibrada se combinarán con periodos de descanso.

BIBLIOGRAFÍA

Durante Molina P; Pedro Tarrés P. *Terapia Ocupacional en Geriatría: Principios y Práctica*. 2ª ed. Barcelona: Masson, 2004.

Álvarez P; Camós J; Pedro P; García C; Trujillo Li. *Guía de ayudas técnicas para las actividades de la vida diaria y ocupacionales para las personas mayores.* Generalitat de Catalunya. Barcelona: Departamento de Sanitat y Seguretat Social, 1996.

Berzienas GF. *An occupational therapy program for the chronic obstructive pulmonary desease patient.* Am J Occup Ther 1970; 24: 14-20.

Coll R. *Rehabilitació pulmonar en la malaltia pulmonar obstructiva crònica: segument evolutiu.* Tesis doctoral. Universitat Autònoma de Barcelona, 1992.

Coll R; Izquierdo J. *Rehabilitación pulmonar.* Arch Bronconeumol 1989; 25: 224-232.

Coll R; Morera J. *Manejo del paciente con enfermedad pulmonar obstructiva crónica.* Rev Clín Esp 1994; 194: 1049-1057.

Coll R; Prieto H; Rocha E. *Terapia Ocupacional en la enfermedad pulmonar obstructiva crónica.* Arch Bronconeumol 1994; 30: 101-104.

Coll R; Rocha E. *Rehabilitación pulmonar: ¿capricho o necesidad?.* Med Clín (Barc) 1996; 106: 534-536.

Rodríguez E; Bugés J; Morera J. *Envejecimiento pulmonar.* Arch Bronconeumol. 1991; 27: 71-77.

Walsh RL. *Occupational therapy as part a pulmonary rehabilitation program.* Occup Ther Health Care 1986; 3: 65-77.

Keller C. *Predicting the performance of daily activities of patients with chronic obstructive pulmonary desease.* Perceo Mot Skills 1986; 63: 647-651.

American Thoracic Society. *Definitions, epidemiology, pathophysiology, diagnosis and staging.* Am J Respir Crit Care Med 1995; 152: 785-835.

157

ACTIVIDADES DE LA VIDA DIARIA (AVD) DESDE TO

Las AVD constituyen uno de los pilares fundamentales de la práctica de TO.

Las AVD engloban todas las áreas ocupacionales: autocuidado, productividad y ocio y tiempo libre. Estas AVD están sujetas a normas y reglas sociales y culturales. Deben de ser entendidas en el propio entorno del sujeto: lo que alguien puede y debe hacer en función de sus responsabilidades.

Tradicionalmente, se distiguen tres grandes categorías, no excluyentes entre si:

- Actividades de cuidado personal: relacionadas con la independencia personal (alimentación, evacuación, higiene personal, vestido, movilización, habilidades comunicativas y sexualidad).
- Actividades productivas: relacionadas con las obligaciones requeridas para el cumplimiento de los roles individuales y que no están asociadas al automantenimiento y al ocio (obligaciones domésticas, administración del hogar, obligaciones académicas, laborales y de cuidado a terceros).
- Actividades de ocio y tiempo libre: actividades en las que participa para socializarse, relajarse o satisfacer sus intereses y aficiones.

Las AVD cambian a lo largo del ciclo vital. Cualquier discapacidad o transtorno puede interrumpir los patrones de vida rutinarios, provocan una alteración de los roles habituales. Nuestro objetivo, como TO, es analizar las distintas capacidades y habilidades individuales en la ejecución de las diferentes actividades.

La evaluación de las AVD debe comparar los siguientes parámetros:

- Valor: refleja el significado de una tarea para el paciente.
- Independencia: es el más común. Se observa el nivel de independencia que exhiben las personas cuando realizan una actividad. La dependencia se clasifica según si se necesita una supervisión verbal o visual, una ayuda física o una ayuda técnica.
- Seguridad: es la forma en que se realiza una actividad libre de riesgos o la forma en que se relaciona la persona con su entorno para realizar sus actividades.
- Adecuación: es la calidad de la acción utilizada para ejecutar las tareas y la calidad de los resultados de la actividad.

La evaluación puede tener lugar en diferentes lugares. La sala de AVD del hospital o de cualquier otro centro permite un entorno realista con facilidades especiales para evaluar pero al ser un sitio desconocido para el enfermo aumentan los niveles de ansiedad o vergüenza. El hogar o el lugar de trabajo con presencia de familiares y compañeros de trabajo y ocio es el encuadre más familiar. Hay que evaluar la capacidad de movilidad del enfermo en su entorno. La intervención del terapeuta ocupacional en el entrenamiento de las AVD comienza cuando el paciente está institucionalizado. Los pacientes aprenden a hacer estas actividades en entornos diferentes a sus hogares. Para que la intervención proporcione el mayor nivel de independencia, el terapeuta ocupacional trabajará en la capacidad de transferencia (técnicas de enseñanza que permiten que las habilidades aprendidas en el hospital el paciente las aprenda a aplicar en su entorno familiar), que el paciente tenga la capacidad para realizar la misma actividad en un ambiente distinto.

El proceso de rehabilitación o habilitación de las AVD implica a la persona, familia y/o cuidadores así como al médico, otros profesionales sanitarios, trabajadores y al personal de servicios comunitarios.

El éxito de la intervención dependerá en gran medida de la habilidad de los miembros del equipo para trabajar juntos, comprendiendo y apoyando cada uno el papel de los otros.

REEDUCACIÓN DE LAS AVD

ALIMENTACIÓN

Si existe deficiencias de la musculatura oral:

- Posicionar adecuadamente cabeza, cuello y cuerpo para facilitar la deglución
- Modificar la consistencia de la comida y/o bebida

En caso de deficiencias del arco de movimiento o disminución de la fuerza muscular:

- Utilizar un miembro superior asistiendo al otro para llegar a la boca (levantándolo desde el codo)
- Apoyar el codo sobre una superficie elevada para permitir el acceso a la boca

- Utilizar ambas manos para sujetar una taza o un vaso

- Cubiertos con mangos engrosados y más largos

En caso de deficiencias en la coordinación de los miembros superiores:

- Colocar muñequeras lastradas
- Utilizar una miembro superior para estabilizar al otro
- Comer con los codos pegados al cuerpo
- Utilizar platos antideslizantes y con bordes altos
- Vasos y tazas con tapa y doble asa

- Cubiertos más pesados y engrosados

En caso de deficiencias de un miembro superior o hemicuerpo:

- Si el miembro superior no es funcional, se apoyará en la mesa para facilitar un buen posicionamiento y así evitar reacciones asociadas
- Si el miembro es funcional, se puede entrenar
- Se recomienda la utilización de cuchillos de rueda, cuchitenedores, mangos universales, tabla para untar y tablas claveteadas para fijar los alimentos

PREPARACIÓN DE LA COMIDA / COCINA

Es recomendable la utilización:

- Cuchillos y espátulas ergonómicas, ya que permiten que la muñeca esté alineada y los dedos realicen una pinza a plena mano, fuerte, que impida la desviación de los dedos
- Abrebotellas, abrebotes, pela patatas, balancines para servir líquido, ya que facilitan la prensión y evitan posiciones facilitadoras de deformidad

ASEO PERSONAL

- Se estimulará en primer lugar la higiene buco-dental y facial

Los problemas que surgen en el aseo son similares a los de la alimentación y las recomendaciones también:

- Es recomendable el uso de desodorantes de aerosol para personas con disminución del arco de movimiento y en barra o en roll-on si existe incoordinación

- Los cepillos de dientes eléctricos son muy útiles para personas con disminución de la coordinación
- Existen cepillos de uñas, cortaúñas y limas con ventosas para fijarlos en una superficie, son especialmente útiles en casos de incoordinación, disminución de fuerza y hemiplejía
- Dispensadores de jabón líquido

- En ocasiones será necesario la utilización de asientos de inodoro elevados, así como asideros o barras de apoyo laterales que permitan sentarse y levantarse del inodoro con facilidad. El inodoro-catapulta facilita el paso de sedestación a bipedestación realizando los primeros grados de extensión de caderas

163

BAÑO Y DUCHA

- Platos de ducha en lugar de bañeras

- Alfombras antideslizantes dentro y fuera de la bañera o ducha
- Asientos de baño y ducha ya que previenen las caídas en el baño y permiten a las personas con movilidad reducida o incapacidad para caminar y estar de pie, realizar la transferencia a la bañera, de manera que no tenga que depender de nadie a la hora del baño, ni realizar costosas obras para adaptar su baño
- La grifería clásica puede ser adaptada o sustituida por grifos monomando, ya que son más fáciles de manejar y con termostato para evitar quemaduras si existe disminución de la sensibilidad
- Las esponjas se mango largo y los lava-cabezas ergonómicos son especialmente útiles para personas que tienen limitaciones en la movilidad. De esta manera, alcanzarán todas las partes de su cuerpo de manera independiente
- Se recomienda la utilización de albornoz si es posible ya que disminuye el esfuerzo de secarse
- Asideros rugosos y distribuidos donde el usuario los necesite. Pueden estar colocados horizontalmente, verticalmente o con angulaciones. No se deben usar los

grifos, toalleros, etc. para ese uso, ya que no tienen suficiente estabilidad

- Los utensilios necesarios deben estar siempre al alcance del usuario

VESTIDO Y CALZADO

- El entrenamiento del vestido suele comenzar por la actividad más sencilla que es desvestirse
- Las deficiencias en las capacidades perceptivas y cognitivas pueden complicar esta actividad en algunos casos. Puede que no perciban la prenda en su totalidad, la localización de las partes, distinguir entre derecho y revés, derecha o izquierda, etc.
- Es muy importante guiar a la persona en la secuenciación de la actividad
- En todos los casos, es aconsejable que las personas mayores realicen estas actividades en sedestación y que dispongan de un taburete pequeño para el vestido de los miembros inferiores
- Desde TO adiestraremos a los usuarios que lo requieran en métodos alternativos para poner y quitar prendas, atar zapatos, etc. en función de sus posibilidades
- La ropa debe ser ligera, suelta y abierta por delante
- Antes de enseñar a una persona a vestirse y desvestirse, debemos entrenar las capacidades para manipular la prenda, mover los miembros superiores en el espacio y abrochar y desabrochar los diferentes sistemas de broches. Se recomiendan sistemas de cierre con botones grandes o cremalleras con anillas así como la sustitución de éstos por gomas elásticas

- Es aconsejable la utilización de ayudas técnicas como ganchos auxiliares para abotonar y subir cremalleras, sube calcetines, calzadores largos, pinzas alcanzadoras, etc.

MOVILIDAD Y TRANSFERENCIAS

- En algunos casos es adecuado el uso de ayudas técnicas, ya que aumentan la estabilidad de personas con escaso equilibrio, debilidad muscular, incoordinación o falta de confianza
- Las ayudas técnicas más utilizadas son:
- Muletas (auxiliares, de codo, de antebrazo)
- Bastones (son las ayudas técnicas más clásicas para la marcha)
- Trípodes, cuadrípodes
- Andadores
- Sillas de ruedas (manuales o eléctricas)
- Grúas
- Tablas de transferencias

OCIO Y TIEMPO LIBRE

- En TO el juego se entiende como un tipo específico de ocupación esencial para el ser humano, muy útil para mejorar las habilidades sociales
- Los productos de apoyo más utilizadas son:
- Cartas con números de gran tamaño

- Juegos de damas con conos

- Dominó de colores, texturas...

- Productos de apoyo para la realización del ganchillo
- Bastidores para el punto de cruz
- Sujeta cartas

OTROS PRODUCTOS DE APOYO

- Adaptadores para la escritura (evitan tener que realizar una pinza de precisión)
- Portallaves (resuelve los problemas de mucha gente con artrosis, artritis y otras patologías que impiden hacer pinzas finas. Es un elemento simple que permite coger con toda la mano y girar la muñeca con menor esfuerzo)
- Pinzas alcanzadoras
- Giradores multiuso con mango

- Sillones catapulta
- Tijeras con resorte (después del corte, se abren de nuevo por acción del resorte para facilitar el agarre y el uso)
- Cajas de almacenaje diario/semanal de medicamentos
- Pastilleros con alarma

BIBLIOGRAFÍA

Máximo Bocanegra N; Pérez de Heredia Torres M; Gutiérrez Morote M. *Atención en el hogar de personas mayores: Manual de terapia ocupacional*. Salamanca: Témpora, 2004.

Kielhofner G. *Terapia ocupacional: Modelo de ocupación humana, teoría y aplicación*. 3ª ed. Buenos Aires: Panamericana, 2004.

Romero Ayuso DM; Moruno Miralles P. *Terapia ocupacional: teoría y técnicas*. Barcelona: Masson, 2003.

Turner A; Foster M; Silver E. *Occupational therapy and physical dysfunction: principles, skills and practice*. 5ª ed. Churchill-Livingstone: Edinburgh, 2002.

Chapinel Jiménez A. *Rehabilitación de las manos con artritis y artrosis en terapia ocupacional*. Barcelona: Masson, 2002.

Polonio López B; Durante P; Noya Arnáiz B. *Conceptos fundamentales de Terapia Ocupacional*. Madrid: Panamericana, 2001.

Polonio López B y cols. *Terapia ocupacional en geriatría: 15 casos prácticos*. Madrid: Panamericana, 2001.

Trombly CA. *Terapia ocupacional para enfermos incapacitados físicamente*. México: La Prensa Mexicana, 2001.

Gómez Tolón J. *Habilidades y destrezas en Terapia Ocupacional*. Zaragoza: Mira, 2000.

Durante Molina P; Pedro Tarrés P. *Terapia Ocupacional en Geriatría: Principios y Práctica*. Barcelona: Masson, 1999.

Helen L Hopkins; Helen D Smith y cols. *Terapia Ocupacional*. 8ª ed. Madrid: Panamericana, 1998.

Gómez Tolón J. *Fundamentos metodológicos de la Terapia Ocupacional*. Zaragoza: Mira, 1997.

MODIFICACIÓN Y ADAPTACIÓN DEL ENTORNO

El terapeuta ocupacional evalúa los espacios inmediatos al hogar y la combinación de los condicionantes internos y externos que afectan a las actividades de la vida diaria (AVD) del paciente. Los factores ambientales afectan a los objetivos de la TO y no es posible predecir factores tales como el apoyo familiar, la motivación, el exceso de discapacidad o la aceptación del enfermo del equipo prescrito.

La valoración del terapeuta ocupacional incluye el estado funcional del entorno que rodea a la persona y que comprende el aspecto físico, el cultural, el social y el familiar. Es importante que el terapeuta ocupacional observe "in situ" la actuación del paciente en vez de aceptar verbalmente la información dada por el paciente y/o familiares.

- Entorno físico: casa en si, mobiliario y otras pertenencias, portal, patio y alrededores del vecindario.
- Entorno cultural: actitudes, conductas y hábitos sociales y creencias.
- Entorno social: personas cercanas y significativas para el paciente.

En las enfermedades crónicas, la familia desempeña un papel importante en la facilitación del proceso terapéutico. A los miembros de la familia se les debe dar la oportunidad de demostrar su implicación en la rehabilitación del paciente. Ésto, les brinda la oportunidad de mantener un contacto físico y emocional, reforzando su relación con el paciente.

Las enseñanzas que se suministran a los familiares durante el programa de rehabilitación ayudarán a asegurar una actitud más positiva ante las habilidades funcionales del enfermo. Por otro lado, explorando la dinámica familiar y las opciones de las redes de amigos, el terapeuta ocupacional deberá ser capaz de disminuir la tensión del cuidador y facilitar la independencia del enfermo.

Las intervenciones del terapeuta ocupacional en el domicilio se dirigen principalmente a prevenir las caídas y los accidentes y a adaptar el entorno para prevenir la incapacidad funcional y la dependencia del enfermo así como para reforzar su sentido de seguridad y su movilidad.

El enfoque del tratamiento más eficaz para mejorar la función, en la mayor parte de los casos, es involucrar al paciente y a su familia o cuidadores en la autogestión del programa establecido. Para ello, debemos elaborar un plan que tome en cuenta las necesidades concretas de la persona y de su familia.

En muchos casos, será aconsejable que el paciente realice por sí solo, en la medida de sus responsabilidades y necesidades, una serie de ejercicios psicomotores por la mañana, lo que facilitará el desentumecimiento de músculos, articulaciones y mente, antes de iniciar sus actividades cotidianas y también por la noche, antes de acostarse, lo cual favorecerá la conciliación del sueño.

Dentro de los programas domiciliarios hemos de tener en cuenta los dedicados a *enfermos terminales*. La TO puede ofrecer una inestimable ayuda a la hora de proporcionar al paciente el máximo grado de bienestar y seguridad del entorno en su hogar tras el alta hospitalaria.

Las intervenciones en este caso girarán en torno a educar a los cuidadores en las formas más seguras de movilizaciones y ayuda para los pacientes; proporcionar el equipo adecuado como un asiento elevado para el inodoro, barras de apoyo, sistema adaptado de teléfono, etc. con el fin de lograr la máxima autonomía; acomodar el mobiliario para incrementar la seguridad; mejorar la comodidad y eliminar barreras; facilitar el acceso instalando ayudas apropiadas; proporcionar la silla de ruedas más adecuada y mantener el nivel de actividad y los contactos sociales durante el mayor tiempo posible. Cuando la enfermedad interrumpe el nivel de actividad y la persona experimenta una pérdida del sentido de la vida, la TO puede proporcionar oportunidades para nuevas experiencias, ayudar a la persona a adaptarse a los cambios en la ejecución de las tareas y facilitarle la recuperación del equilibrio mediante actividades significativas para él.

Las áreas de la vivienda que el terapeuta ocupacional debe valorar y, en ocasiones, hay que adaptar son las siguientes:

Entrada. Si tiene escaleras, la pendiente de éstas recomendable está comprendida entre ángulos de 25 a 30°. Al final de la escalera ha de haber un espacio suficientemente amplio para poder manejar una silla de ruedas (en caso de usarse). Se precisa una zona de 90 cm delante de la puerta si ésta se abre hacia dentro y de 150 cm si se abre hacia fuera. Todas las superficies deben de ser antideslizantes y resistentes al fuego.
Puertas. Las dimensiones mínimas serán de ancho libre de 85 cm y una altura libre de 200 cm. Si la puerta es ligeramente más estrecha, se pueden instalar bisagras que proporcionen la anchura adicional. Si la apertura es aún demasiado estrecha, se deben quitar la puerta y el marco y colocar una cortina para mantener la privacidad. En los casos en que la habitación sea muy pequeña, se puede instalar una puerta deslizante (empotrada o no) o utilizar una puerta de dos hojas.
Escaleras entre plantas. Si la casa de la persona tiene más de una planta, se puede utilizar una de las dependencias de la planta baja

como dormitorio y evitar así tener que subir y bajar. Si no fuera posible o deseable, se podría instalar un elevador eléctrico a pesar de que el gasto es considerable.

Suelos. Deben ser antideslizantes, sin irregularidades, evitando en lo posible que haya niveles y contrastes de colores que den la impresión de cambio de nivel. Las alfombras y felpudos se han de retirar o fijarlos al suelo.

Interruptores y enchufes. Los interruptores de la luz han de quedar fácilmente al alcance de la mano (especialmente si hay problemas de movilidad o silla de ruedas) y de la vista. Además, han de ser de fácil manejo (accionarlos con un suave toque incluso sin necesidad de mano). Es conveniente colocar adhesivos fosforescentes de manera que sean visibles en la oscuridad. Sería ideal que los enchufes pudieran alcanzarse sin tener que agacharse desde una posición de bipedestación o sedestación. Los controles remotos pueden ser de gran ayuda si se entienden, ven y manejan con facilidad; de lo contrario, son un gran estorbo.

Mobiliario. La reordenación de los muebles puede ser útil para incrementar la movilidad. Sillas, sofás y camas demasiado bajos, proporcionan una posición de sedestación incómoda, a la vez que dificultan las acciones de levantarse y sentarse de ellos. Para elevarlos, se pueden colocar unos bloques de madera debajo de las patas, con un hueco para que se ajusten las patas y evitar posibles accidentes. Por el contrario, si las sillas son demasiado altas, se pueden cortar las patas con cuidado de no dejarlas cojas o colocar un reposapiés para que no queden colgando los pies. Lo deseable es que la altura y la profundidad del asiento permitan que el usuario se apoye correctamente en el respaldo con los pies firmemente apoyados en el suelo y sin notar presión en las corvas. En cuanto a las camas, la altura óptima del somier se sitúa entre 35 y 40 cm. Se acolcharán o eliminarán los ángulos y salientes en pico que puedan herir al usuario.

Espacios de almacenaje: armarios y alacenas. Los elementos de uso frecuente han de ser accesibles de manera fácil y segura. Los armarios de la cocina, el baño y el dormitorio pueden tener que reorganizarse para asegurar que se alcanzan fácilmente, tanto en bipedestación como en sedestación. En ocasiones, se utiliza un alargador con pinzas.

Dormitorio. Es aconsejable que la cama disponga de pie y cabecera, ya que facilitan la movilidad del usuario. En caso de necesitar una cama tipo hospital, el nivel de altura estará entre 38 y 78,5 cm. Si se trata de un paciente hemipléjico, la cama se ha de colocar de manera que la entrada y la salida de la misma puedan realizarse por el lado no afectado. En ocasiones, será necesario instalar alguna ayuda técnica para incrementar la independencia en la movilización de la cama. Los pacientes con problemas cardíacos y/o respiratorios deberán, en algunos casos, modificar la posición de la cama, elevando parte de ésta o utilizando almohadas u otros elementos.

En ocasiones, será necesario colocar una luz permanente que permita a la persona orientarse si se despierta por la noche. Si la lámpara de noche está situada sobre la mesilla es conveniente fijarla a ésta para que no se caiga al encenderla o apagarla, o también se puede colocar en la pared.

Baño. La bañera o ducha ha de estar equipada con bandas o alfombrillas antideslizantes en el suelo, tanto dentro como fuera. Sería conveniente que se dispusiera de un asiento adaptado, ducha de teléfono y barras de apoyo (dispuestas según las necesidades). La grifería clásica de llaves giratorias puede ser cambiada por un monomando más sencillo de manipular y usar y, cuando haya problemas táctiles, será conveniente utilizar uno con termostato incorporado. Las ayudas técnicas para el baño (esponjas con mango largo y/o curvado, dispensadores de jabón, etc.) pueden incrementar la independencia en el mismo.

La altura más adecuada del lavabo es de 80 cm desde el suelo, siendo aconsejable que sea volado y cuente con unas barras de apoyo.

Se dispondrán de barras de apoyo laterales que permitan sentarse y levantarse del inodoro con facilidad. En ocasiones, será necesario utilizar asientos elevados, que podrán ser móviles si los utilizan otros miembros de la familia.

Cocina. Se deben quitar las puertas de debajo del fregadero para poder acceder a él con la silla de ruedas. Las tuberías situadas debajo del fregadero han de aislarse para evitar quemaduras y heridas en los miembros inferiores. Se puede colocar un plato o bandeja de plástico boca abajo para elevar la superficie del fondo del fregadero cuando el acceso no sea fácil. Para que el usuario pueda ver mejor las superficies de trabajo se pueden colgar de la pared espejos inclinados. Se pueden añadir estanterías a los armarios para facilitar el acceso o bien un alargador con pinzas. Las cocinas y los hornos que tienen los mandos en la parte frontal son de más cómodo acceso; los digitales pueden ser más fáciles de manipular, pero pueden crear confusión si no se está acostumbrado a ellos. La utilización de un delantal con grandes bolsillos o de una silla de ruedas con bolsas laterales evitará tener que hacer muchos recorridos para coger las cosas. Para fijar los boles se pueden utilizar materiales antideslizantes o incluso una toalla mojada.

En todo caso, hay que intentar adaptar lo que se tiene, pues la adquisición de material nuevo puede suponer un gasto enorme, a veces sin resultados positivos.

BIBLIOGRAFÍA

Durante Molina P; Pedro Tarrés P. *Terapia Ocupacional en Geriatría: Principios y Práctica.* 2ª ed. Barcelona: Masson, 2004.

Instituto Nacional de la Salud. *Criterios de ordenación para la atención sanitaria a las personas mayores.* Madrid: Instituto Nacional de la Salud, 1995.

Instituto Nacional de Servicios Sociales. *Temario del curso Adaptación de viviendas para personas mayores.* Madrid: Inserso, 1996.

Ministerio de Asuntos Sociales. *Manual de accesibilidad.* 2ª ed. Madrid, Instituto Nacional de Servicios Sociales, 1995.

American Occupational Therapy Association. *Guidelines for occupational therapy services in home health.* Rockville: AOTA, 1987.

American Occupational Therapy Association. *Occupational Therapy Medicar handbook.* Rockville: AOTA, 1987.

American Geriatrics Society Public Police Committee. *Home care and home care reimbursement.* J Am Geriatr Soc 1989; 37: 1065-1066.

Kielhofner G; Burke JP; Igi CH. *A model of human occupation, part 4. Assessment and intervention.* Am J Occup Ther 1980; 34: 777-778.

Wasik BH; Bryant DM; Lyons CM. *Home visiting: procedures for helping families.* Newbury Park: Sage Publications, 1990.

EL CUIDADOR: CUIDÉMONOS PARA PODER CUIDAR

Ser cuidador es un trabajo como otro cualquiera aunque esté repleto de inconvenientes y muy pocas ventajas. Y hay que considerarlo así y que no es un trabajo menor. Es un trabajo útil y necesario.

Al cuidar enfermos crónicos no cuidamos una enfermedad en si, algo que desaparecerá con el tiempo. Estamos cuidando a un enfermo que tiene una enfermedad para la que no hay cura, por lo tanto no desaparecerá con el tiempo, será larga y tenemos que aprender a cuidar para no sucumbir con el tiempo.

Varias cosas conforman la decisión de cuidar:

- Ha de ser una decisión **voluntaria**
- Aceptar que a veces, no se puede con todo y hay que **buscar ayuda**
- Ser **realista**
- Hay que ayudar pero también **hay que ayudarse**

La familia cuidadora "deseable":

- Es la que se esfuerza al máximo
- Se adapta a los cambios
- Cuida de forma compartida
- Da ejemplo a los niños y jóvenes y así éstos colaboran en el cuidado de los enfermos
- Traza un plan
- Dialoga

- Considera que la mujer no es la única con la obligación de cuidar

Pero lo que acostumbra a pasar realmente:

Normalmente sólo cuida uno en la familia y ¿qué ocurre con este cuidador?:

- Gran carga física y psíquica
- Pierde libertad
- Se olvida de si mismo y de su entorno

Las **actitudes** básicas del cuidador:

- Debe descansar lo necesario
- Cuidar su propia salud
- No aislarse socialmente
- Cultivar aficiones
- Trabajar "divirtiéndose"
- Tener ratos libres
- No utilizar fármacos innecesariamente

Cuando se está cuidando a un enfermo crónico, la convivencia se hace muy estrecha y pueden surgir problemas.
La convivencia puede provocar emociones negativas tales como angustia, tristeza, depresión, soledad, vergüenza, impotencia, culpa y muchas más.

Pero también, la convivencia puede aportar emociones positivas. Cuidar es gratificante. Debemos de darnos cuenta que a través de nuestro cuidado el enfermo está mejor. Si nos muestra una sonrisa o una palabra de agradecimiento nos encontramos mucho mejor. Sentimos esperanza, amor..

Finalmente, hay que saber que existen asociaciones, grupos de autoayuda o voluntarios que nos pueden ser muy útiles.

A MODO DE RESUMEN:

Pautas que ayudarán al cuidador:

1. Buscar ayuda desde el principio.

2. Hacer partícipe a la familia.

3. Hay que ser conscientes de todos los problemas que vendrán.

4. Valorar la aflicción que se siente.

5. Darse cuenta del "derecho" a sentirse emocionalmente desestabilizado.

6. Tomarse tiempo libre.

7. Aceptar que "nadie es perfecto".

8. Acudir a un grupo de autoayuda.

9. Cuidarse física y emocionalmente.

10. Seguir con las actividades propias, no abandonarla por cuidar al enfermo.

11. Vivir el presente pero no olvidar organizar el futuro.

12. Ser benévolos con nosotros mismos.

13. Aprender a comunicarse.

14. Aceptarse a sí mismo.

15. Seguir un plan de acción para evitar el desgaste.

BIBLIOGRAFÍA

Pascual G; Loren L. *Familia y demencia senil.* Congreso Europeo de Gerontología. Libro de Comunicaciones y Ponencias. Madrid, 1991.

Pascual G; López Mª E. *Demencia senil y su relación familiar tras su ingreso en un centro clínico especializado.* SYSTED 91: La sociedad ante el envejecimiento y la minusvalía. Vol. I. 247-250. JM Portella. Editores Científicos, 1991.

Pascual G. *Programa de actuación sobre el entorno (PAE) del demente a nivel domiciliario.* Libro de Comunicaciones y Ponenecias del XX Congreso de la Sociedad Española de Geriatría y Gerontología. Santander, 1994.

Pascual G. *Seguimiento del cuidador senil domiciliario. Aspectos psicosociales.* Libro de Comunicaciones y Ponencias del V Congreso de la Sociedad Canaria de Geriatría y Gerontología. Lanzarote, 1995.

Pascual G. *El agotamiento del cuidador en la familia. Ponencia en el ciclo: La familia ante la salud y la enfermedad.* Zaragoza. Ibercaja. 1996.

Pascual G. *Control de síntomas en el domicilio por el cuidador de demencias tipo Alzheimer y otras.* Curso de formación. Zaragoza. Ibercaja, 1998.

Pascual G. *Las demencias. Colección: Convivir con enfermos psiquiátricos.* Dirección: Prof. A. Seva Díaz. Ed. C.A.I, 1998.

Pascual G. *Cómo me cuido para cuidar.* Curso de formación para cuidadores de demencia tipo Alzheimer. Zaragoza. Ibercaja, 1997.

La ocupación terapéutica de los enfermos crónicos en el domicilio. Curso de formación. Huesca. Ibercaja, 2007.

Selmes J; Selmes MA. *Vivir con la enfermedad de Alzheimer.* Ed. Meditor, 1990.

Zarit SA. *Spouses as caregiver's: stress and interventions. de. Goldstein MZ. Family involvent in the treatment of the fraid elderly.* Washington DC. American Psichiatric Press, 1989: 23-62.

LA TO EN EL HOSPITAL DE DÍA

La sala de TO debe estar adaptada para ayudar a compensar la incapacidad funcional de los pacientes, facilitando su movilidad y previniendo posibles accidentes. El transporte con el que los enfermos acuden al hospital también estará adaptado.

El horario es de 9'30 de la mañana a 5 de la tarde, ofreciéndose la comida y el desayuno en aquellos casos en que el paciente deba ir en ayunas.

El número de asistencias por paciente varía en función del grado de afectación y de las necesidades que presente. Lo más frecuente son asistencias de 2 ó 3 días a la semana. Una asistencia diaria fatiga al enfermo.

Patologías tratables en un hospital de día

- Enfermedades neurológicas: ACV, enfermedad de Parkinson, esclerosis lateral amiotrófica (ELA)
- Enfermedades osteoarticulares: artrosis, artritis, osteoporosis, enfermedad de Paget
- Enfermedades cardiovasculares: insuficiencia cardiaca, cardiopatía isquémica, angina de pecho
- Enfermedades mentales: depresión endógena, depresión reactiva, demencia
- Enfermedades orgánicas avanzadas: enfermedades respiratorias crónicas, procesos oncológicos
- Transtornos residuales: fracturas (de Colles, vertebrales y de cadera), amputaciones

La TO en un hospital de día tiene los siguientes objetivos:

- Recuperar la función perdida o suplirla mediante ayudas o técnicas que faciliten el movimiento.
- Adaptar el domicilio del paciente a su discapacidad.
- Educar en la capacidad y en la limitación.
- Proporcionar apoyo psicológico extensible a la familia.

El terapeuta ocupacional evaluará en qué grado y en qué áreas está efectada la autonomía del paciente. Los datos que se deben valorar son:

- Estado de la función cognitiva: nivel de funcionamiento.
- Estado de la función anímica: presencia de alteraciones del ánimo.
- Función motriz: fuerza, equilibrio y marcha; coordinación fina y gruesa.
- Área perceptiva: afasia, apraxia, agnosia.
- Área sensorial: pricipalmente oído y vista.
- Evaluación detallada de las actividades de la vida diaria básica e instrumentales.
- Situación basal en las actividades de la vida diaria antes del ingreso.
- Estudio del domicilio habitual.
- Evaluación de la red de apoyo del paciente.
- Situación de riesgo de accidentes.

BIBLIOGRAFÍA

Blocklehurst JC. Ed. *The Geriatrics service and the day hospital*. En Texbook of geriatric medicine and gerontology, 4ª ed. Edimburgo: Churchill-Livingstone, 1992: 1005-1015.

Cucullo JM; Gamboa B; Galindo J. *Hospital de día geriátrico: valoración de la calidad asistencial*. Rev Geritr Gerontol 1992; 27: 13.

Horinillos MM; Baztán JJ; González JL. *Hospitales de día geriátricos en España. Estructura y funcionamiento*. Madrid: Knoll, 1996.

Jiménez Herrero F. *Gerontología* 1993. Ed. Masson-Salvat Medicina, 1993.

Orduña Bañón MJ; Padilla Jiménez MJ. *La terapia ocupacional en la patología geriátrica*. En: Ribera Casado JM; Veiga F, eds. Enfermería geriátrica. Madrid: IDEPSA, 1991.

Ribera Casdo JM; Cruz Jentoft AJ. *Geriatría*. Madrid: IDEPSA, 1992.

LA TO EN ATENCIÓN PRIMARIA

Los servicios de TO en en este sector consisten en:

- Valoración y entrenamiento de las actividades de la vida diaria (AVD).
- Aplicación de principios ergonómicos para la salud en las actividades de la vida diaria (economía articular, simplificación de la tarea, conservación de la energía, higiene postural).
- Valoración y adaptación del entorno.
- Prescripción, elaboración, educación y entrenamiento en ortesis y ayudas técnicas.
- Educación y entrenamiento en prótesis.
- Entrenamiento y atención al cuidador.
- Actividades de promoción de la salud y prevención de la enfermedad con profesionales, cuidadores y colectivos con afectaciones, en el marco de la Atención Primaria.
- Reuniones con los demás miembros del equipo de Atención Primaria.

Las patologías atendidas son:

1.- Aparato locomotor:

- Artritis reumatoide (se excluye la fase de agudización de la inflamación).
- Espondilitis anquilosante (excluyéndose la fase de agudización de la enfermedad).
- Problemas tendinosos en fase subaguda.
- Capsulitis articulares.

185

- Secuelas de inmovilizaciones cuando su causa es reversible.

2.- Patología traumática y cirugía ortopédica:

- Lesiones traumáticas, tendinosas, articulares y neviosas sobre cualquier segmento del aparato locomotor, incluyendo la columna. Nunca en fase aguda o crónica.
- Intervenciones ortopédicas en aparato locomotor y sustituciones articulares.

3.- Amputados de miembros inferiores.

4.- Enfermedades neurológicas:

- ACV, excepto en fase crónica.
- Procesos neurodegenerativos.
- Ciclos de tratamiento de reagudizaciones que provoquen sobreañadidos susceptibles de mejora con rehabilitación.
- Parálisis motora de origen central estabilizada: cuando aparezcan problemas sobreañadidos susceptibles de mejoría con rehabilitación.
- Sistema nervioso periférico.

5.- Enfermedades respiratorias:

- Reeducación respiratoria y adaptación del esfuerzo de pacientes con EPOC.
- Continuación del tratamiento de pacientes con EPOC grave, cuando hayan realizado la primera fase del tratamiento rehabilitador en el hospital.

6.- Enfermedades cardiovasculares:

- Linfedemas postmastectomía no cronificados.

Se dará por finalizado el servicio cuando ocurra alguna de las siguientes circunstancias:

- Consecución de objetivos.
- Ingreso en el hospital.
- Empeoramiento del estado de salud que impide o contraindica la atención terapéutica.
- Cambio de domicilio que quede situado fuera de la zona de cobertura de la unidad.
- El cuidador/a ya ha sido instruido sobre el manejo del paciente discapacitado.
- Superación del número de las sesiones estipuladas.

BIBLIOGRAFÍA

Decreto 137/2002, de 30 de Abril, de apoyo a las familias andaluzas. BOJA nº 52. Páginas 7.127 a 7. 134.

Rehabilitación y fisioterapia en atención primaria. Guía de Procedimientos, Servicio Andaluz de Salud. Consejería de Salud. Junta de Andalucía. Servicios Centrales del Servicio Anadaluz de Salud. Octubre, 2003.

Guía de Procedimientos Equipo de Rehabilitación en Domicilio. Dirección General de Asistencia Sanitaria. Subdirección Coordinación de Salud. Abril de 2003.

Guía para el desarrollo de la Terapia Ocupacional en Atención Primaria de Salud. II Terapia Ocupacional en Áreas sin Equipos Móviles. Dirección General de Asistencia Sanitaria. Subdiracción de Coordinación de Salud. Octubre, 2005.

LA TO A DOMICILIO

Las funciones propiamente dichas del terapeuta ocupacional a domicilio son:

- Educación y adiestramiento en las actividades de la vida diaria (AVD).
- Intervenciones sobre las patologías puntuales.
- Evaluación técnica a nivel de adaptaciones en el hogar y ayudas técnicas.
- Prevención de accidentes en el hogar.
- Asesoramiento a las familias.

Varios son los aspectos que debe afrontar el terapeuta ocupacional en los domicilios frente al que trabaja en hospital.

Uno de los más importantes es el *espacio*, se trabaja en el domicilio del paciente, el terapeuta ocupacional se siente como el "invitado", de tal forma que el paciente tiene mayor control sobre el entorno y el programa. También, esta circunstancia, hace que el enfermo esté menos nervioso y que podamos trabajar "in situ" todos los aspectos de las actividades de la vida diaria (AVD) con lo que ésto supone de posibilidad de modificación del espacio y entrenamiento en las posibles ayudas técnicas que necesita.

Otro es la *familia*. Se debe llegar a encontrar el equilibrio entre un "familiar excesivamente protector" y un "familiar despreocupado".

El *material* a utilizar es otro aspecto a tratar; éste es muy distinto al que se emplea en hospitales u otros centros, -el material ha de ser fácilmente transportable en cuanto a pesos y dimensiones-. Aquí, el mejor material con el que cuenta el terapeuta ocupacional es su inventiva e imaginación, además del perfil personal y profesional que ha de tener; la TO es una profesión que lleva implícito la necesidad de tener tacto y cierta delicadeza para el trato con las personas, saber escuchar y aconsejar.

Actualmente la línea a seguir de los servicios sociosanitarios es la atención a la salud desde el seno de la comunidad. Se asume que para las personas dependientes es mejor permanecer en sus propios hogares o en los de miembros de su familia.

Actualmente, el mayor pocentaje de población que se atiende son personas de edad muy avanzada. En estos casos, la TO tiene como objetivo mantener el mayor grado posible de independencia personal a la vez que retrasar el ingreso en residencias de estas personas.

BIBLIOGRAFÍA

Revista de Actualidad Sociosanitaria. N º 4. Diciembre, 2003.

Helen L Hopkins; Helen D Smith *(Willard/Spackman) Terapia Ocupacional.* 8ª ed. Madrid: Médica Panamericana, 1998.

Durante Molina P; Pedro Tarrés P. *Terapia Ocupacional en Geriatría: Principios y Práctica.* 2ª ed. Barcelona: Masson, 2004.

El Servicio de Ayuda a Domicilio. Sociedad Española de Geriatría y Gerontología. Ed. Médica Panamericana.

Gómez Tolón J. *Fundamentos Metodológicos de la Terapia Ocupacional.* Zaragoza: Mira, 1997.

Fernández-Ballesteros R; Zamarrón MD; Maciá A. *Calidad de vida en la vejez en distintos contextos.* Ministerio de Trabajo y Asuntos Sociales. Inserso.

MARCO LEGAL DE LA TO

Competencias profesionales de los terapeutas ocupacionales:

Los terapeutas ocupacionales tienen unas competencias profesionales claramente reguladas en nuestro marco legal. Se puede citar la siguiente normativa:

1° Ley 44/2003, de 21 de Noviembre, de ordenación de las profesiones sanitarias, publicada en el BOE 280/2003, de fecha 22 de Noviembre de 2003. El artículo 7 de la indicada Ley, señala que los terapeutas ocupacionales son los Diplomados Universitarios en Terapia ocupacional y les corresponde la aplicación de técnicas y la realización de actividades de carácter ocupacional que tienden a potenciar o suplir funciones físicas o psíquicas disminuidas o perdidas, y a orientar y estimular el desarrollo de tales funciones.

2° Ley 55/2003, de 16 de Diciembre, del Estatuto Marco del personal estatutario de los servicios de salud, publicado en el BOE de fecha 17 de Diciembre de 2003. Se trata de una normativa básica del estado, pudiendo cada Comunidad Autónoma en el ámbito de sus respectivas competencias desarrollarla por medio de estatutos y demás normas aplicables al personal estatutario de cada servicio de salud.

3° Real Decreto 1050/1992, de 31 de Julio, (BOE. 26-8-1992), y su Plan de Estudios recogido en el Real Decreto 1420/1990, (BOE. 4-12-1992 y 31-8-1993). Se hace un desarrollo de las materias y asignaturas necesarias para el posterior desempeño de la profesión.

4º Real Decreto 1277/2003, de 10 de Octubre, por el que se establecen las bases generales sobre autorización de centros, servicios y establecimientos sanitarios. Se define la Terapia Ocupacional como: "Unidad asistencial en la que, bajo la responsabilidad de un terapeuta ocupacional, se utilizan con fines terapéuticos las actividades de autocuidado, trabajo y ocio para que los pacientes adquieran el conocimiento y las destrezas y actitudes necesarias para desarrollar las tareas cotidianas requeridas y consigan el máximo de autonomía e integración."

5º Real Decreto 106/2004, de 27 de Abril, por el que se prueba el reglamento que regula la autorización de centros y servicios sanitarios en Aragón, estableciéndose la clasificación y definición de los mismos.

6º Decreto 106/2004, de 27 de Abril, por el que se aprueba el reglamento que regula la autorización de centros y servicios sanitarios en Aragón, estableciéndose la clasificación y definición de los mismos.

Normativa reguladora de la actividad:

- **Decreto 3097/1964,** del Ministerio de la Gobernación, por el que se creó la Escuela de Terapia Ocupacional, adscrita a la Escuela Nacional de Sanidad.
- **Real Decreto 1420/1990, de 26 de Octubre,** por el que se creó el Diploma Universitario de Diplomado en Terapia Ocupacional (publicado en BOE 20-11-1990).
- **Real Decreto 1050/1992, de 31 de Julio,** por el que se crea la Diplomatura Universitaria en Zaragoza en Terapia

ocupacional, y su Plan de Estudios se regula en el Real Decreto, 1420/1990, ya citado.

- **Ley 11/2001, de 18 de Junio,** de creación del Colegio Profesional de Terapeutas Ocupacionales de Aragón (Boletín Oficial de Aragón), y recientemente por la **Ley Omnibus (Ley 25/2009, de 22 de Diciembre).**
- **Orden CIN/729/2009, de 18 de Marzo,** por la que se establecen los requisitos para la verificación de los títulos universitarios oficiales que habiliten para el ejercicio de la profesión de Terapia Ocupacional (publicado en BOE 26-03-2009).

Documentación que rige el desarrollo de la profesión en Aragón

- Código Deontológico COPTOA
- Libro Blanco Terapia Ocupacional en Aragón
- Perfil Profesional del Terapeuta Ocupacional

BIBLIOGRAFÍA

Libro Blanco de la Terapia Ocupacional en Aragón. 2007.

www.terapeutas-ocupacionales.es/COPTOA

ELABORACIÓN DE INFORMES EN TO

La comunicación entre los profesionales sanitarios que participan en el tratamiento del paciente es de vital importancia.

Un informe es la declaración formal del resultado de una investigación o un resumen cuyo propósito es relacionar hechos y acontecimientos ocurridos con respecto a un paciente. Contiene información relativa a la persona, recogida a lo largo de su tratamiento, y datos clínicos extraídos de la historia. Puede también contener datos relativos a las condiciones ambientales adaptaciones requeridas.

Datos del informe

Los informes de TO constan de partes esenciales que se personalizarán con cada paciente. Éstas son:

- *Datos de filiación.* Apellidos y nombre del paciente, edad, número de historia, etc.
- *Fecha y servicio.* Dónde y cuándo se realiza el informe.
- *Datos clínicos.* Dignóstico principal, otros transtornos, antecedentes, situación basal, etc.
- *Objetivo del tratamiento.* Motivo de ingreso en TO.
- *Procedimiento terapéutico.* Descripción resumida del proceso de tratamiento con las diferentes técnicas utilizadas.
- *Respuesta del paciente.* Resumen de la evolución, incluyendo actitud ante el tratamiento, colaboración, etc.
- *Valoración del alta.* Resultados finales y situación al alta.

- *Recomendaciones terapéuticas postalta.* Indicaciones ocupacionales posteriores al alta: actividades recomendadas, adaptaciones y ayudas técnicas, etc.
- *Firma del terapeuta ocupacional.* Debe ser legible y anotando el nivel asistencial al que pertenece.

El informe debe ser:

- *Claro.* Presentar la información de forma simple, lógica, con un lenguaje comprensible para aquellos que van a hacer uso del informe, explicando los tecnicismos que utilicemos.
- *Preciso.* El contenido del informe debe ir encaminado a responder a las cuestiones que por nuestra profesión estamos capacitados, evitando la ambigüedad.
- *No muy extenso.* Lo ideal sería un informe breve y conciso para facilitar a todos su lectura y comprensión. En ocasiones, la complejidad de las lesiones, las secuelas o su repercusión en la persona hace necesario un informe más extenso.
- *Completo.* El informe debe responder a lo solicitado de nuestro conocimiento como terapeutas ocupacionales.
- *No tendencioso.* La información aportada debe ser imparcial e independiente para aportar claridad sobre la capacidad o la incapacidad de la persona, que ayude a tomar una decisión con equidad y justicia respecto al futuro de esa persona.

Los tipos de informes más habituales son:

- *Relativos al enfermo.* Informe de evolución en TO e informe de necesidad de ayudas técnicas personales y entrenamiento.
- *Relativos al entorno.* Informe de eliminación de factores de riesgo y adaptaciones ambientales.

ESCALAS DE VALORACIÓN

Existen multitud de instrumentos de valoración funcional, psicoafectiva y social, que reúnen las características requeridas por el terapeuta ocupacional para completar y objetivar su observación, monitorizando los cambios del paciente en el tiempo. Entre todos ellos, elegiremos los que se adecuen más a la situación real en que nos encontremos.

El objetivo de esta medición es planificar lo mejor posible el plan terapéutico indicado para el paciente, de manera que su recuperación sea óptima dentro de sus posibilidades, manteniendo así los niveles más elevados posibles de independencia y calidad de vida.

Algunas de las escalas empleadas son la siguientes:

1.- Valoración del equilibrio y de la marcha

PARTE I. EQUILIBRIO
Instrucciones: Sujeto sentado en una silla sin brazos

Equilibrio sentado
Se inclina o desliza en la silla:
0
Firme y seguro:
1

Levantarse
Inacapaz sin ayuda:
0
Capaz utilizando los brazos como ayuda:
1
Capaz sin utilizar los brazos:
2

Intentos de levantarse
Incapaz sin ayuda:
0
Capaz, pero necesita más de un intento:
1
Capaz de levantarse con un intento:
2

Equilibrio inmediato (5 min.) al levantarse
Inestable (se tambalea, mueve los pies, marcado blanceo del tronco):
0
Estable, pero usa andador, bastón, muletas u otros objetos de soporte:
1
Estable sin usar bastón u otros soportes:
2

Equilibrio en bipedestación

Inestable:

0

Estable con aumento del área de sustentación (los talones separados más de 10 cm) con andador u otro soporte:

1

Base de sustentación estracha sin ningún soporte:

2

Empujón (sujeto en posición de firmes con los pies tan juntos como sea posible, el examinador empuja sobre el esternón del paciente con la palma 3 veces)

Tiende a caerse:

0

Se tambalea, se sujeta, pero se mantiene solo:

1

Firme:

2

Ojos cerrados (en la posición anterior)

Inestable:

0

Estable:

1

Giro de 360º

Pasos discontinuos:

0

Pasos continuos:

1

Inestable (se coge o tambalea):

0

Estable:

1

Sentarse
Inseguro (calcula mal la distancia, cae en la silla):
0
Usa los brazos o no tiene un movimiento suave:
1
Seguro, movimiento suave:
2

Puntuación total equilibrio/16...................

PARTE II. MARCHA
Instrucciones. El sujeto, de pie con el examinador, camina por el pasillo o por la habitación, primero con su paso habitual, regresando con "paso rápido, pero seguro" (usando sus ayudas habituales para la marcha, como bastón o andador)

Inicio de la marcha (inmediatamente después de decir "camine")
Duda, vacila o realiza múltiples intentos para comenzar:
0
No vacila:
1

Longitud y altura del paso
El pie derecho no sobrepasa al izquierdo con el paso en la fase de balanceo:
0
El pie derecho sobrepasa al izquierdo con el paso:
1
El pie derecho no se levanta completamente del suelo con el paso en la fase de balanceo:
0
El pie derecho se levanta completamente:
1
El pie izquierdo no sobrepasa al derecho con el paso en la fase de balanceo:
0
El pie izquierdo sobrepasa al derecho en el paso:
1

El pie izquierdo no se levanta completamente suelo en la fase de balanceo:
0
El pie izquierdo se levanta completamente:
1

Simetría del paso
La longitud del paso con el pie derecho e izquierdo es diferente (estimada):
0
Los pasos son iguales en longitud:
1

Continuidad de los pasos
Para o hay discontinuidad entre los pasos:
0
Los pasos son continuos:
1

Trayectoria (estimada con relación a los baldosines del suelo de 30 cm de diámetro; se observa la desviación de un pie en 3 m de distancia)
Marcada desviación:
0
Desviación moderada o media o utiliza ayudas:
1
Recto sin utilizar ayudas:
2

Tronco
Marcado balanceo o utiliza ayudas:
0
Sin balanceo, pero con flexión de rodillas o espalda o extensión hacia afuera de los brazos:
1
Sin balanceo ni flexión, ni utiliza ayudas:
2

Postura en la marcha
Talones separados:
0
Los talones casi se tocan mientras camina:
1

Puntuación total marcha/12.....................
Puntuación total general/28.....................

2.- Escala de incapacidad física de la Cruz Roja

0   Totalmente normal
1   Realiza las AVD. Deambula con cierta dificultad
2   Alguna dificultad para realizar las AVD. Deambula con ayuda de bastón o similar
3   Grave dificultad para realizar las AVD. Deambula con dificultad ayudado por una persona. Incontinencia ocasional
4   Necesita ayuda para casi todas las AVD. Deambula con extrema dificultad ayudado por una persona. Incontinencia habitual
5   Inmovilidad en cama o sillón. Dependencia total. Necesita cuidados continuados de enfermería

3.- Índice de Barthel

Alimentación
10 *Independiente*. Capaz de utilizar cualquier instrumento necesario; come en un tiempo razonable; capaz de desmenuzar la comida, usar condimentos, extender la mantequilla, etc., por si solo
5   *Necesita ayuda*. Por ejemplo, para cortar, extender la mantequilla, etc.
0   *Dependiente*. Necesita ser alimentado

Lavado (baño)
5   *Independiente.* Capaz de lavarse utilizando la ducha o la bañera o permaneciendo de pie y aplicando la esponja por todo el cuerpo. Incluye entrar y salir de la bañera sin la presencia de ninguna persona
0   *Dependiente.* Necesita alguna ayuda

Vestido
10   *Independiente.* Capaz de ponerse, quitarse y colgar la ropa. Se ata los zapatos, abrocha los botones, etc. Se coloca el braguero o el corsé si lo precisa
5   *Necesita ayuda.* Realiza al menos la mitad de las tareas en un tiempo razonable
0   *Dependiente.* Incapaz de desenvolverse sin ayuda

Aseo
5   *Independiente.* Realiza todas las tareas personales (lavarse la cara y las manos, peinarse, etc.). Incluya afeitarse y lavarse los dientes. Sin ninguna ayuda, maneja el enchufe si la maquinilla es eléctrica
0   *Dependiente.* Necesita alguna ayuda

Deposición
10   *Continente, ningún accidente.* Si necesita enema o supositorios, se arregla por si solo
5   *Accidente ocasional.* Raro (menos de una vez por semana) o necesita ayuda para el enema o los supositorios
0   *Incontinente*

Micción
10   *Continente, ningún accidente.* Seco día y noche. Capaz de usar cualquier dispositivo (catéter). Si es necesario, es capaz de cambiar la bolsa
5   *Accidente ocasional.* Menos de una vez por semana. Necesita ayuda con los instrumentos
0   *Incontinente*

Retrete

10   *Independiente.* Entra y sale solo. Es capaz de quitarse y ponerse la ropa, limpiarse, prevenir el manchado de la ropa, vaciar y limpiar la cuña. Capaz de sentarse y levantarse sin ayuda. Puede utilizar barras de soporte

5   *Necesita ayuda.* Precisa ayuda para mantener el equilibrio, quitarse o ponerse la ropa o limpiarse

0   *Dependiente.* Incapaz de desenvolverse sin ayuda

Translado sillón-cama

15   *Independiente.* No necesita ayuda. Si utiliza silla de ruedas, lo hace independientemente

10   *Mínima ayuda.* Incluye supervisión verbal o pequeña ayuda física (por ej., la ofrecida por el cónyuge)

5   *Gran ayuda.* Capaz de estar sentado sin ayuda, pero necesita mucha asistencia para entrar o salir de la cama

0   *Dependiente.* Necesita grúa o alzamiento completo por dos personas. Incapaz de permanecer sentado

Deambulación

15   *Independiente.* Puede usar cualquier ayuda (prótesis, bastones, muletas, etc.) excepto andador. La velocidad no es importante. Puede caminar al menos 50 m o equivalente sin ayuda o supervisión

10   *Necesita ayuda.* Supervisión física o verbal, incluyendo instrumentos u otras ayudas para permanecer de pie. Deambula 50 m

5   *Independiente en silla de ruedas.* Propulsa su silla de ruedas al menos 50m. Gira esquinas solo

0   *Dependiente.* Requiere ayuda importante

Escalones

10   *Independiente.* Capaz de subir y bajar un tramo de escaleras sin ayuda o supervisión, aunque utilice barandilla o instrumentos de apoyo

5   *Necesita ayuda.* Supervisión física o verbal

0   *Dependiente.* Necesita elevador (ascensor) o no puede salvar escalones

4.- Índice de Katz

Lavado
Independiente. No recibe ayuda (entra y sale solo de la bañera, si es su forma habitual de bañarse)
Independiente. Recibe ayuda en la limpieza de sólo una parte del cuerpo (espalda, piernas, etc.)
Dependiente. Recibe ayuda en el aseo de más de una parte del cuerpo, o para entrar y salir de la bañera

Vestido
Independiente. Coge la ropa y se viste completamente sin ayuda
Independiente. Sin ayuda, excepto para atarse los zapatos
Dependiente. Recibe ayuda para coger la ropa o ponérsela, o permanece parcialmente vestido

Uso del retrete
Independiente. Va al retrete, se limpia y se ajusta la ropa sin ayuda (aunque use bastón, andador o silla de ruedas). Puede usar orinal por la noche, vaciándolo al día siguiente
Dependiente. Recibe ayuda para ir al retrete, limpiarse, ajustarse la ropa o el uso nocturno del orinal
Dependiente. No usa el retrete solo

Movilización
Independiente. Entra y sale de la cama. Se sienta y se levanta sin ayuda (puede usar bastón o andador)
Dependiente. Entra y sale de la cama. Se sienta y se levanta de la silla con ayuda
Dependiente. No puede levantarse de la cama

Continencia
Independiente. Controla perfectamente ambos esfínteres
Dependiente. Incontinencia esporádica
Dependiente. Necesita supervisión, usa sonda vesical o es independiente

Alimentación
Independiente. Se alimenta sin ayuda
Independiente. Ayuda sólo para cortar la carne o untar la mantequilla
Dependiente. Recibe ayuda para comer o es alimentado parcial o totalmente mediante sondas o líquidos intravenosos

VALORACIÓN

A   Independiente en todas las funciones
B   Independiente en todas, salvo en una de ellas
C   Independiente en todas, salvo en lavado y otra más
D   Independiente en todas, salvo en lavado, vestido y otra más
E   Independiente en todas, salvo en lavado, vestido, uso del retrete y otra más
F   Independiente en todas, salvo en lavado, vestido, uso del retrete, movilización y otra más
G   Dependiente en las seis funciones
Otras Dependiente en al menos dos funciones, pero no clasificable como C, D, E o F

5.- Escala de Lawton

Capacidad para utilizar el teléfono
1   Utiliza el teléfono por iniciativa propia
1   Capaz de marcar bien algunos números familiares
1   Capaz de contestar al teléfono, pero no de marcar
0   No utiliza el teléfono en absoluto

Compras
1   Realiza independientemente todas las compras necesarias
0   Realiza independientemente pequeñas compras
0   Necesita ir acompañado para realizar cualquier compra
0   Totalmente incapaz de comprar

206

Preparación de la comida
1   Organiza, prepara y sirve las comidas por si solo adecuadamente
0   Prepara adecuadamente comidas si se le proporcionan los ingredientes
0   Prepara, calienta y sirve comidas, pero no sigue una dieta adecuada
0   Necesita que le preparen y sirvan la comida

Cuidado de la casa
1   Mantiene la casa solo o con ayuda ocasional (por ej., ayuda doméstica para el trabajo pesado)
1   Realiza tareas ligeras, tales como lavar los platos y hacer la cama
1   Realiza tareas ligeras, pero no puede mantener un nivel aceptable de limpieza
1   Necesita ayuda para todas las labores de la casa
0   No participa en ninguna labor de la casa

Lavado de la ropa
1   Lava por si solo toda su ropa
1   Lava por si solo pequeñas prendas
0   No puede realizar el lavado de la ropa

Medios de transporte
1   Viaja solo en transporte público o conduce su propio coche
1   Es capaz de coger un taxi, pero no utiliza otro tipo de transporte público
1   Viaja en transporte público cuando va acompañado de otra persona
0   Utiliza únicamente el taxi o el automóvil con ayuda de otros
0   No viaja en absoluto

Responsabilidad respecto a su medicación
1   Es capaz de tomar su medicación a la hora y dosis correctas
0   Toma su medicación si la dosis es preparada previamente
0   No es capaz de administrarse su medicación

Capacidad para manejar asuntos económicos
1 Capaz de encargarse de sus asuntos económicos por si solo (realiza presupuestos, extiende cheques, paga la renta, va al banco)

1 Realiza las compras de cada día, pero necesita ayuda en el banco, grandes compras, etc
0 Incapaz de manejar dinero

Puntuación total...

6.- Escala de incapacidad mental de la Cruz Roja

0 Totalmente normal
1 Ligera desorientación en el tiempo. Mantiene correctamente una conversación
2 Desorientación en el tiempo. Conversación posible pero no perfecta. Transtornos del carácter. Incontinencia ocasional
3 Desorientación. No puede mantener una conversación lógica. Confunde a las personas. Transtornos del humor. Frecuente incontinencia
4 Desorientación. Claras alteraciones mentales. Incontinencia habitual o total
5 Vida vegetativa con agresividad o sin ella. Incontinencia total

7.- Miniexamen cognoscitivo (De Lobo, 1975)

Orientación
1 Dígame en qué fecha, día, mes, año y estación estamos (máximo 5 puntos)
2 Dígame dónde estamos: país, provincia, ciudad, hospital, planta (máximo 5 puntos)

Registro
3 Repita estas tres palabras: peseta, caballo, manzana (máximo 3 puntos). Repetirlas hasta que se las aprenda y apuntar el número de intentos

Atención y cálculo
4 Si tiene 30 euros y me va dando de tres en tres, ¿cuántas le van quedando? (máximo 5 puntos)

5 Repita: 5-9-2 (practicar hasta que los aprenda y contar el número de intentos). Ahora al revés (máximo 3 puntos)

Memoria
6 ¿Recuerda las tres palabras que le dije antes? (máximo tres puntos)

Lenguaje y construcción
7 Mostrar un bolígrafo: ¿qué es ésto?. Repetirlo con un reloj (máximo 2 puntos)
8 Repita ésto: En un trigal había cinco perros (máximo 1 punto)
9 Una manzana y una pera son frutas, ¿verdad?. ¿Qué son el rojo y el verde?, ¿qué son un perro y un gato? (máximo 2 puntos)
10 Coja un papel con la mano derecha, dóblelo por la mitad y póngalo en el suelo (máximo tres puntos)
11 Lea ésto y haga lo que dice: Cierre los ojos (máximo 1 punto)
12 Escriba una frase (máximo 1 punto)
13 Copie este dibujo (máximo 1 punto)

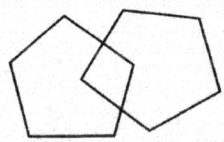

Máximo 35 puntos. A menor puntuación, mayor deterioro.

8.- Escala de Pfeiffer

1 ¿Qué fecha es hoy? (día, mes, año)
2 ¿Qué día de la semana es hoy?
3 ¿Cuál es el nombre de este sitio?
4 ¿Cuál es su número de teléfono?
4b ¿Cuáles son sus señas? (sólo si no tiene teléfono)
5 ¿Qué edad tiene?
6 ¿En qué fecha nació?

7   ¿Cómo se llama el presidente del gobierno?

8   ¿Cómo se llamaba el anterior presidente del gobierno?

9   ¿Cuál era el primer apellido de su madre?

10 Restar de 3 en 3 desde 20

Por cada error se debe sumar 1 punto. Se concede un error más si el nivel educativo es bajo, y uno menos si es alto. A mayor puntuación, mayor deterioro. (Adaptación al castellano del SPMQ de Pfeiffer).

9.- Escala abreviada de depresión geriátrica de Yesevage

Pregunta a realizar y Respuesta

¿Está básicamente satisfecho con su vida?:
NO
¿Ha renunciado a nuchas de sus actividades y pasatiempos?:
SÍ
¿Siente que su vida está vacía?:
SÍ
¿Se encuentra a menudo aburrido?:
SÍ
¿Se encuentra alegre y optimista, con buen ánimo casi todo el tiempo?:
NO
¿Teme que le vaya a pasar algo malo?:
SÍ
¿Se siente feliz, contento la mayor parte del tiempo?:
NO
¿Se siente a menudo desamparado, desvalido, indeciso?:
SÍ
¿Prefiere quedarse en casa que acaso salir y hacer cosas nuevas?:
SÍ
¿Le da la impresión de que tiene más fallos de memoria que los demás?:
SÍ
¿Cree que es agradable estar vivo?:
NO

¿Se le hace duro empezar nuevos proyectos?:

SÍ

¿Se siente lleno de energía?:

NO

¿Siente que su situación es angustiosa, desesperada?:

SÍ

¿Cree que la mayoría de la gente vive económicamente mejor que usted?:

SÍ

Puntuación: Se asigna un punto por cada respuesta que coincida con la reflejada, y la suma total se valora como sigue:

- 0-5: **Normal**
- 6-9: **Depresión leve**
- >10: **Depresión establecida**

10.- Escala de Zarit (Escala de Sobrecarga del Cuidador)

Pregunta

Puntuación: *cada pregunta tiene la siguiente puntuación: 0-1-2-3-4-5.*
Entre estas puntuaciones, el cuidador deberá elegir aquella con la que se sienta más identificado en lo referente a la sobrecarga que padece.

¿Siente que su familiar solicita más ayuda que la que realmente necesita?

¿Siente que debido al tiempo que dedica a su familiar ya no dispone de tiempo suficiente para usted?

¿Se siente más tenso cuando tiene que cuidar a su familiar y atender además otras responsabilidades?

¿Se siente avergozado por la conducta de su familiar?

¿Cree que la situación actual afecta de manera negativa a su relación con amigos y otros miembros de su familia?

¿Siente temor por el futuro que le espera a su familia?

¿Siente que su familiar depende de usted?

¿Se siente agotado cuando tiene que estar junto a su familiar?

¿Siente que su salud se ha resentido por cuidar a su familiar?

¿Siente que no tiene la vida privada que desearía debido a su familiar?

¿Cree que sus relaciones sociales se han visto afectadas por tener que cuidar a su familiar?

¿Se siente incómodo para invitar amigos a casa, a causa de su familiar?

¿Cree que su familiar espera que usted le cuide, como si fuera la única persona con la que puede contar?

¿Cree que no dispone de dinero suficiente para cuidar a su familiar además de sus otros gastos?

¿Siente que será incapaz de cuidar a su familiar por mucho más tiempo?

¿Siente que ha perdido el control sobre su vida desde que la enfermedad de su familiar se manifestó?

¿Desearía poder encargar el cuidado de su familiar a otras personas?

¿Se siente inseguro acerca de lo que debe hacer con su familiar?

¿Siente que debería hacer más de lo que hace por su familiar?

¿Cree que podría cuidar de su familiar mejor de lo que lo hace?

En general: ¿Se siente muy sobrecargado por tener que cuidar de su familiar?

Cada pregunta se valora así:

Frecuencia	Puntuación
Nunca	0
Casi nunca	1
A veces	2
Bastantes veces	3
Casi siempre	4

Puntuación máxima de 84 puntos. No existen normas ni puntos de corte establecidos.

BIBLIOGRAFÍA

Durante Molina P; Pedro Tarrés P. *Terapia Ocupacional en Geriatría: Principios y Práctica.* 2ª ed. Barcelona: Masson, 2004.

Alarcón MT. *Valoración funcional.* En: Salgado A et al. Eds. Fundamentos prácticos de la asistencia al anciano. Barcelona: Masson, 1996; 57-64.

Baztán JJ et al. *Escalas de las actividades de la vida diaria.* En: Del Ser T, Peña Casanova J, eds. Evaluación neuropsicológica y funcional de la demencia. Barcelona: JR Prous, 1994; 137-164.

Baztán JJ et al. *Índice de Barthel: instrumento válido para la valoración funcional con enfermedad cerebrovascular.* Rev Esp Geriatr Gerontol 1993; 28 (1): 32-40.

Cruz Jentoft AJ. *El índice de Katz.* Rev Esp Geriatr Gerontol 1991; 28: 338-348.

Cruz Jentoft AJ. *La evaluación geriátrica exhaustiva: muchas preguntas y nuevas respuestas.* Rev Esp Geriatr Gerontol 1995; 30 (1): 5-7.

Del Ser T; Peña Casanova J. *Objetivos y métodos en la evaluación de la demencia.* En: Del Ser T, Peña-Casanova J, eds. *Evaluación neuropsicológica y funcional de la demencia.* Barcelona: JR Prous, 1994; 1-7.

Folstein MF et al. *Mini-Mental: a practical method for grading the cognitive state of patients for the clinician.* J Psychiatr Res 1975; 12: 189-198.

González JI et al. *Comparación de la Escala con la Cruz Roja con el índice de Katz.* Rev Esp Geriatr Gerontol 1991; 26: 197- 202.

Katz S et al. *Studies of illness in the aged. The index of ADL: a standardized measure of biological and phychosocial function.* JAMA 1963; 185: 914-919.

McDonald EM. *Introducción a la terapéutica ocupacional física, 1ª parte.* En: McDonald EM, ed. *Terapéutica ocupacional en rehabilitación, 3ª* ed. Barcelona: Salvat, 1990; 94-127.

Lawton MP; Brody EM. *Assesment of older people: self-maintaining and instrumental activities of daily living.* Gerontologist 1969; 9: 179-186.

Pérez Almeida E et al. *La Geriatric Depression Scale (GDS) como instrumento para la valoración de la depresión: bases de la misma. Modificaciones introducidas y adaptación de la prueba a la realidad psicogeriátrica española.* Rev Esp Geriatr Gerontol 1990; 25: 173-180.

Ring J. *Valoración funcional: una necesidad imperiosa en rehabilitación.* Rehabilitación 1994; 28 (2): 71-77.

World Health Organization. *International classification of impairments, disability and handicaps.* Ginebra: WHO, 1980.

Revista Minusval. Número 165. IMSERSO. 2007.

ANEXO

Organismos internacionales de TO

- Federación Mundial de Terapeutas Ocupacionales (WFOT).
- Consejo de Terapeutas Ocupacionales de países Europeos (COTEC).
- Red Europea de Terapia Ocupacional en la Educación Superior (ENOTHE).
- Confederación Latinoamericana de Terapeutas Ocupacionales (CLATO).
- Red Internacional del Estudio en Terapia Ocupacional (OTION).

Organismo nacional de TO

Consejo General de Colegios de Terapeutas Ocupacionales de España (CGCPTOE):
Es el órgano coordinador y representativo del conjunto de los Colegios Profesionales u Oficiales de Terapeutas Ocupacionales y de los Consejos autonómicos, en los ámbitos estatal e internacional, sin perjuicio de las competencias propias de los Colegios y Consejos autonómicos que las Leyes autonómicas establezcan.

El **CGCPTOE** está formado por los siguientes Colegios Profesionales autonómicos:

COPTOA -Colegio Oficial de Terapeutas Ocupacionales de Aragón

COTOIB - Colegio Oficial de Terapeutas Ocupacionales de las Islas Baleares

COPTOEX - Colegio Profesional de Terapeutas Ocupacionales de Extremadura

COTONA - Colegio de Terapeutas Ocupacionales de Navarra / Nafarroako Lan-Terapeuten Elkargoa

COTOCV - Colegio Oficial de Terapeutas Ocupacionales de la Comunidad Valenciana

COPTOCYL - Colegio Oficial de Terapeutas Ocupacionales de Castilla y León

COFTOCLM - Colegio Oficial de Terapeutas Ocupacionales de Castilla-La Mancha

ETOLE - Colegio Profesional de Terapeutas Ocupacionales del País Vasco /
Euskadiko Terapeuta Okupazionalen Lanbide Elkargoa

Listado de Colegios y Asociaciones Profesionales de TO en España

COTOCV (Colegio Oficial de Terapeutas Ocupacionales de la Comunidad Valenciana)

COPTOA (Colegio Profesional de Terapeutas Ocupacionales de Aragón)

APTOPA (Asociación Profesional de Terapeutas Ocupacionales del Principado de Asturias)

COTOIB (Colegio Oficial de Terapeutas Ocupacionales de las Islas Baleares)

APTOCA (Asociación Profesional de Terapeutas Ocupacionales de Canarias)

APCANTO (Asociación Profesional Cántabra de Terapeutas Ocupacionales)

COFTO-CLM (Colegio Oficial de Terapeutas Ocupacionales de Castilla la Mancha)

COPTOCYL (Colegio Profesional de Terapeutas Ocupacionales de Castilla-León)

APTOC (Asociación Profesional de Terapeutas Ocupacionales de Cataluña)

APETO (Asociación Profesional Española de Terapeutas Ocupacionales)

ETOLE (Colegio Oficial de Terapeutas Ocupacionales de Euskadi)

COPTOEX (Colegio Profesional de Terapeutas Ocupacionales de Extremadura)

APGTO (Asociación Profesional Gallega de Terapia Ocupacional)

ARTO (Asociación Profesional Riojana de Terapeutas Ocupacionales)

APTOCAM (Asociación Profesional de Terapeutas Ocupacionales de la Comunidad Autónoma de Madrid).

COTONA / NALTE (Colegio de Terapeutas Ocupacionales de Navarra / Nafarroako Lan-Terapeuten Elkargoa)

COPTOMUR (Colegio Profesional de Terapeutas Ocupacionales de Murcia)

Universidades españolas que imparten los estudios del Grado de Terapia Ocupacional

El Espacio Europeo dede Educación Superior (EEES), es un proyecto impulsado por la Unión Europea y plasmado en 1999 en la Declaración de Bolonia, para armonizar los sistemas universitarios europeos con el finde que todos ellos tengan una estructura homogénea en tres ciclos, denominados, grado, máster y doctorado.

Los estudios de grado se corresponden con el primer ciclo de estudios universitarios y sustituyen a las licenciaturas, diplomaturas e ingenierías que se habían venido impartiendo hasta el inicio del curso 2010-11.

Es por ello, que la Diplomatura de Terapia Ocupacional, se convirtió en Grado de Terapia Ocupacional.

Es importante resaltar que los estudiantes que hayan iniciado estudios no adaptados al EEES tienen derecho a continuar con sus estudioshasta que los finalicen.

CENTROS UNIVERSITARIOS QUE IMPARTEN EL GRADO DE TERAPIA OCUPACIONAL 2010-2011

1. Universidad Alfonso X El Sabio Madrid
http://www.uax.es/oferta-docente/ccs/goc.html

2. Universidad Autónoma de Barcelona (UAB)
Cerdanyola del Vallès (Barcelona)
hhttp://www.uab.es/servlet/Satellite/estudiar/todos-los-estudios/informacion-general/terapia-ocupacional-grado-eees-1099409747826.html

3. Universidad de Burgos.
http://www.ubu.es/inforalumno/matricula/planes/Terapias.doc

4. Universidad de Castilla La Mancha (UCLM)
http://www.uclm.es/to/ceu/terapia_ocupacional/index.asp

5. Universidad Católica San Antonio (Murcia)
http://www.ucam.edu/estudios/grados/terapia

6. Universidad Católica de Valencia San Vicente Mártir
https://www.ucv.es/estudios_introduccion.asp?t=112&g=1

7. Universidad Complutense de Madrid
http://www.ucm.es/pags.php?tp=Grados%20adaptados%20al%20Espacio%20Europeo&a=estudios&d=muestragrado.php&idgr=55

8. Universidade da Coruña
http://www.udc.es/estudos/ga/planes/653G11.asp

9. Universidad de Elche Miguel Hernández (Alicante)
http://www.umh.es/frame.asp?url=/menu.asp?estudios

10. Universidad de Extremadura
http://www.unex.es

11. Universidad de Granada
http://www.ugr.es/~ccsalud/

12. Universidad de Málaga. E.U. Ciencias de la Salud
http://www.uma.es/Estudios/Centros/ccsalud/D_U_T_Ocupacional.htm

13. Universidad Rey Juan Carlos. Madrid
http://www.cs.urjc.es/alumnos/carreras/terapia%20ocupacional.htm

14. Universidad de Salamanca
http://www.usal.es/webusal/node/4251?mst=26

15. Universidad de Vic (UdV)
http://www.uvic.es/es/estudi/6

16. Universidad de Zaragoza
http://www.unizar.es

17. Centro Superior de Estudios La Salle. Madrid
http://www.eulasalle.com/Terapia
+Ocupacional/5/InicioNivel1/Inicio.aspx?Der=;16

18. Escuela Universitaria P. Enrique Ossó (Oviedo, Asturias)
Diplomatura en Terapia Ocupacional
http://www.padre-osso.org

Enlacés de interés

Páginas de organismos, asociaciones profesionales y otros colectivos de Terapia Ocupacional nacionales y supranacionales:

-Portal de la Federación Mundial de Terapeutas Ocupacionales (WFOT, siglas en inglés)

-Portal del Consejo de Terapeutas Ocupacionales de los Países Europeos (COTEC, siglas en inglés)

-Portal de la Red Mundial de Integración Sensorial (SIGN, siglas en inglés)

-Portal de la Red Europea de Terapia Ocupacional en la Educación Superior (ENOTHE, siglas en inglés)

-Portal del Consejo de Juntas de Registro de Terapeutas Ocupacionales (COTRB, siglas en inglés), de Australia y Nueva Zelanda.

-Portal de la Junta de Terapia Ocupacional de Nueva Zelanda (OTBNZ, siglas en inglés)

-Portal del Colegio de Terapeutas Ocupacionales de Chile (CTOC)

-Portal de la Corporación Chilena de Integración Sensorial (CCIS, siglas en español)

-Portal de la Asociación Argentina de Terapistas Ocupacionales (AATO)

-Portal de la Asociación de Integración Sensorial Argentina (AISA)

-Portal del Colegio de Terapeutas Ocupacionales de México (COTEOC)

-Portal de la Asociación de Terapia Ocupacional de Puerto Rico (ATOPR)

-Portal de la Asociación de Terapeutas Ocupacionales de Costa Rica (ATOC)

-Portal de la Asociación Profesional Española de Terapeutas Ocupacionales (APETO)

-Portal de la Asociación Española de Integración Sensorial (AEIS)

-Portal de la Asociación Española de Terapeutas Formados en el Concepto Bobath (AETB)
-Portal de la asociación portuguesa de integración sensorial 7Senses

-Portal del Consejo Federal de Fisioterapia y Terapia Ocupacional (COFFITO, acrónimo en portugués), de Brasil

-Portal de la Asociación Canadiense de Terapeutas Ocupacionales (CAOT, siglas en inglés; ACE, siglas en francés)

-Portal de la Fundación Canadiense de Terapia Ocupacional

-Portal de la Asociación Estadounidense de Terapia Ocupacional (AOTA, siglas en inglés)

-Portal de la Junta Nacional de Certificación en Terapia Ocupacional (NBCOT, siglas en inglés), de Estados Unidos

-Portal de la Fundación Estadounidense de Terapia Ocupacional

-Portal de la Asociación Sueca de Terapia Ocupacional (FSA, siglas en sueco)

-Portal de la Asociación Australiana de Terapeutas Ocupacionales (AAOT, siglas en inglés)

-Portal de la Asociación de Terapeutas Ocupacionales de Toda India (AIOTA, siglas en inglés)

-Portal de la Asociación de Terapeutas Ocupacionales de Nueva Zelanda (NZAOT, siglas en inglés)

-Portal de la Asociación Británica de Terapeutas Ocupacionales

-Colegio de Terapeutas Ocupacionales (BAOT-COT, siglas en inglés)

-Portal de la Asociación de Terapeutas Ocupacionales de Irlanda (AOTI, siglas en inglés)

-Portal de la Asociación de Terapia Ocupacional de Malta (MAOT, siglas en inglés)

-Portal de la Asociación de Terapia Ocupacional de Sudáfrica (OTASA, siglas en inglés)

-Portal del Instituto Sudafricano de Integración Sensorial (SAISI, siglas en inglés)

-Portal de la Asociación de Terapeutas Ocupacionales de Uganda (UAOT, siglas en inglés)

-Portal de la Asociación de Terapeutas Ocupacionales de Bangladesh (BOTA, siglas en inglés)

-Portal de la Asociación Malasia de Terapeutas Ocupacionales (MOTA, siglas en inglés)

-Portal de la Asociación de Terapeutas Ocupacionales de Singapur (SAOT, siglas en inglés)

-Portal de la Asociación de Terapia Ocupacional de Taiwán

-Portal de la Asociación Japonesa de Terapeutas Ocupacionales (JAOT, siglas en inglés)

-Portal de la Asociación Italiana de Terapia Ocupacional (AITO, siglas en italiano)

-Portal de la Asociación Nacional Francesa de Terapeutas Ocupacionales (ANFE, siglas en francés)

-Portal de la Federación Nacional Belga de Terapeutas Ocupacionales (FNBE, siglas en francés; NBFE, siglas en flamenco)

-Portal de la Asociación Luxemburguesa de Terapeutas Ocupacionales Diplomados. (ALED, siglas en francés)

-Portal de la Asociación Suiza de Terapeutas Ocupacionales (ASE, siglas en francés y en italiano; EVS, siglas en alemán)

-Portal de la Asociación Alemana de Terapeutas Ocupacionales (DVE, siglas en alemán)

-Portal de la Asociación Austriaca de Terapeutas Ocupacionales (VDEÖ, siglas en alemán)

-Portal de la asociación holandesa de Terapia Ocupacional, Terapia Ocupacional Holanda (NVE, siglas en holandés)

-Portal de la Asociación Noruega de Terapeutas Ocupacionales (NETF, siglas en noruego)

-Portal de la Asociación Danesa de Terapeutas Ocupacionales (ETF, siglas en danés)

-Portal de la Asociación Finlandesa de Terapeutas Ocupacionales (ST, siglas en finés; FE, siglas en sueco)

-Portal de la Asociación Rusa de Terapeutas Ocupacionales (RAET, transcripción de las siglas en ruso)

-Portal de la Asociación Islandesa de Terapia Ocupacional (II, acrónimo en islandés)

-Portal de la Asociación Coreana de Terapeutas Ocupacionales (KAOT, siglas en inglés)

-Portal de la Asociación Iraní de Terapia Ocupacional (IROTA, siglas en inglés)

-Portal de la Red de Integración Sensorial (SIN, siglas en inglés), del Reino Unido e Irlanda

-Portal de la Asociación de Terapia de Integración Sensorial de Finlandia (SITY, acrónimo en finés)

-Portal de la Asociación Griega de Terapeutas Ocupacionales (ΣEE, siglas en griego)

-Portal de la Asociación Croata de Terapeutas Ocupacionales (HURT, siglas en croata)

-Portal de la Asociación Checa de Terapeutas Ocupacionales (ČAE, siglas en checo)

-Portal de la Asociación de Terapeutas Ocupacionales de Letonia (LEA, siglas en letón)

-Portal de la Asociación de Terapeutas Ocupacionales de Eslovenia (ZDTS, siglas en esloveno)

-Portal de la Conferencia Nacional de Directores de Escuelas Universitarias de Terapia Ocupacional (CNDEUTO), de España

Revistas de TO

-Revista de Terapia Ocupacional da USP

-Terapia-Ocupacional.com. Portal dedicado a la Terapia Ocupacional

-Esterapia.com. Portal dedicado a la Terapia Ocupacional y La Rehabilitación

-El Desván. Boletín trimestral de la Asociación Profesional Gallega de Terapeutas Ocupacionales (APGTO)

-American Journal of Occupational Therapy

-Australian Occupational Therapy Journal

-Canadian Journal of Occupational Therapy

-Occupational Therapy Now es una publicación de la CAOT

-Journal of Occupational Therapy Students (JOTS)

-Neurorehabilitation

-Occupational Therapy Journal Of Research

-Occupational Ergonomics

-Scandinavian Journal of Occupational Therapy

-Revista electrónica Ocupate

-Centro de Formación y Tratamiento de Terapia Ocupacional (AYTONA)

-Revista de Terapia Ocupacional de Galicia (TOG)

-Revista Terapia Ocupacional Portugal

-Revista Chilena de Terapia Ocupacional

-Spanish Journal of Occupational Therapy

-EntreTodos + Magazine de Terapia Ocupacional y Ciencias Afines

-Revista Electrónica de Terapia Ocupacional

-El diario de AEXTO

-Boletín Electrónico de Estudiantes de Terapia Ocupacional de Chile

-Magazine Digital de Terapia Ocupacional de Argentina

-Ocúpate. Revista electrónica de Terapia Ocupacional de Argentina. Universidad Abierta Interamericana, (UAI)

-Terapia Ocupacional basada en las pruebas

-Revista chilena de Terapia Ocupacional

-Revista Electrónica de Informatica en Terapia Ocupacional – R.E.I.T.O.

-Artevidade - Tecnología e Assistencia Multiprofesional

BIBLIOGRAFÍA

Libro Blanco de la Terapia Ocupacional en Aragón. 2007.

www.terapeutas-ocupacionales.es

wzar.unizar.es

www.terapeutas-ocupacionales.es/COPTOA

DIRECCIONES DE INTERÉS EN INTERNET RELACIONADAS CON LAS PATOLOGÍAS TRATADAS

A continuación se detalla una lista de algunas direcciones de internet relacionadas con las patologías tratadas.

No son todas las existentes puesto que cada día surgen nuevas direcciones.

- Webs de Terapia Ocupacional
  http://**www.Terapia-Ocupacional.com**
  http://**www.terapiaocupacional.net**

- Fundación La Caixa
  http://**www.obrasocial.lacaixa.es/**

- Caja Madrid
  http://**www.obrasocialcajamadrid.org/**

- Ministerio de Sanidad, Servicios Sociales e Igualdad
  https://www.msssi.gob.es/

- Sociedad Española de Reumatología
  http://**www.ser.es**

- Liga Reumatológica Española
  http://**www.lire.es**

- Coordinadora Nacional de Artritis
  http://**www.conartritis.org/**

- Confederación Española de Pacientes Reumáticos
  http://**www.confepar.com**

- Asociación Española contra Osteoporosis
  http://**www.aecos.es**

- Sociedad Española de Neurología
  http://**www.seneurologia.org/**

- Asociación Catalana de Personas con Accidente Cerebrovascular
  http://**www.avece.org/**

- Asociación Española de Lesión Medular
  http://**www.aesleme.es**

- Asociación de Lesionados Medulares
  http://**www.aspaymmadrid.org/**

- Confederación Coordinadora Estatal de Minusválidos Físicos de España
  http://**www.cocemfe.es/**

- Asociación de Parapléjicos y Discapacitados Físicos de Lérida
  http://**www.aspid.cat/**

- Asociación para la Promoción del Minusválido
  http://**www.promi.es/**

- Federeción Española de Parkinson
  http://**www.fedespakinson.org/**

- Asociación Civil de Enfermedad de Parkinson
  http://**www.acepas.com.ar/**

- Asociación de Parkinson Madrid
  http://**www.parkinsonmadrid.org/**

- Asociación de Parkinson Barcelona
  http://**www.barcelonaparkinson.com**

- Federación Nacional de Esclerosis Múltiple
  http://**www.msif.org/**

- Asociación Española de Esclerosis Múltiple
  http://**www.aedem.org/**

- Fundación Española para el Fomento de la Investigación
  de Esclerosis Lateral Amiotrófica
  http://**www.fundela.info/**

- Asociación Española de Esclerosis Lateral Amiotrófica
  http://**www.adelaweb.com**

- Sociedad Española de Psiquiatría
  http://**www.sepsiquiatría.org/**

- Sociedad Española de Geriatría y Gerontología
  http://**www.segg.org/**

- Fundación Alzheimer España
  http://**www.solitel.es/alzheimer/index.htm**

- Confederación Española de Enfermos de Alzheimer
  http://**www.ceafa.org/**

- Asociación para las Familias con Alzheimer
  http://**www.afal.es**

- Boletín informativo sobre Alzheimer
  http://**www.newsletter@familialzheimer.org/**

- Asociación Americana de Cuidadores
  http://**www.caregiver.com**

- Confederación de Autismo de España
  http://**www.autismo.org.es/AE/default.htm**

- Asociación de Padres de Personas con Autismo
  http://**www.apna.es**

- Asociación Española de Familiares y Amigos de Personas
  con Enfermedad Mental
  http://**www.afaeps.org/**

- Confederación Española de Agrupaciones de Familiares y
  Personas con Enfermedad Mental
  http://**www.feafes.com/**

- Centro Español de Información y Formación sobre la
  Enfermedad Mental
  http://**www.feafes.com/ceifem.asp**

- Confederación Española de Federaciones y Asociaciones en favor de Personas con Retraso Intelectual http://**www.feaps.org/**

ÍNDICE

236